# DIE FESSEL DER FREIEN

Nicht nur der Tod
hat die Antwort auf das Leben

Verlag und Schriftenmission der
Evangelischen Gesellschaft
für Deutschland
Wuppertal 11

ISBN 3 87857 169 0
TELOS Taschenbuch

Grafik: Eberhard Platte
Gesamtherstellung:
St.-Johannis-Druckerei C. Schweickhardt
7630 Lahr-Dinglingen
Printed in Germany 17674/1981

*Man lebt nur einmal;*
*ist, wenn der Tod kommt,*
*dein Leben wohl genutzt,*
*d. h. so genutzt,*
*daß es sich richtig zur Ewigkeit verhält:*
*Gott sei ewiglich gelobt;*
*ist es das nicht,*
*so ist es ewig nicht wiedergutzumachen –*
*man lebt nur einmal!*

*(Sören Kierkegaard)*

# Inhalt

Kurt Becker

# Deserteur des Lebens

Mein Name tut nichts zur Sache, denn diejenigen, die mich mit meinem Namen rufen, kann ich hier nicht hören; und die Leute, die ich höre, rufen mich nicht mit meinem Namen. Mein Alter wäre eine Lüge, denn die Winter, die ich verlebte, waren kälter, die Sommer heißer, die Herbste länger und die Frühlinge kürzer, als Jahreszeiten sind.

Meine Heimat suchte ich dort, wo die Sonne aufgeht. Aber kaum glaubte ich mich am Ziel, so verschwand sie am Horizont und ließ mich weiterirren in finsteren Nächten. Nun aber ist der Kreis geschlossen, und ich stehe wieder am Anfang.

Meine Füße sind wund von den Steinen, an die ich stieß, und meine Hände sind von einem elenden Ausschlag befallen, infiziert von den Dingen, die ich berührte, als ich blind nach dem Licht tappte.

Ich fühle mich müde, nur meine Gefühle sind unruhiger als je zuvor, denn ein Herz braucht länger, um zu sterben, auch wenn es eiskalt geworden ist.

Kein Tag verging, an dem ich nicht das Unrecht, die Gewalt, die Phrase und die Lüge triumphieren sah; und obwohl es mir gelang, mich von dem Haß als einem unreinen Gefühl freizuhalten, so spürte ich doch, wie sich die Zerstörung in meiner Seele langsam ausbreitete.

Ich bin Fremdenlegionär!

Der Vertrag fordert fünf Jahre Gehorsam, mit Ehre

und Treue bis zum Tode. Meine eigene rechte Hand, wer immer sie auch führte, hatte mich verkauft.

Was bewegt einen Menschen dazu, in einem fremden Land, unter fremdem Namen, einer fremden Nation zu dienen und bereit zu sein, für sie zu sterben?

Die schwerste Strafe in der Legion trifft den Deserteur. Aber in Wirklichkeit ist jeder Legionär ein Deserteur, ein Deserteur des Lebens!

Jeder Legionär hatte schon einen Sprung in dem Kristall seines Lebens, bevor er zur Legion ging. Durch die Legion aber wurde dieser Sprung zu einem Riß, den meist nichts mehr kitten kann als nur der Tod.

Wir alle waren auf der Flucht, sind vor irgend etwas davongelaufen. Die einen vor Freiheitsstrafen oder finanziellen Schwierigkeiten, die anderen vor familiären oder sonstigen Problemen. Oder man flüchtete vor dem grauen Alltag! Eines aber hatten wir alle gemeinsam: Wir waren auf der Suche nach irgend etwas.

Leider fragen sich nur sehr wenige, was sie denn finden wollen. Und so greift man nach den erstbesten Dingen, die sich bieten, um den großen Durst zu stillen. So macht sich der Legionär das Leben leichter – und gleichzeitig schwerer.

Ich war an diesem Seil befestigt. Ich weiß, wie tief es einschneidet, und wie fest die anderen die Knoten ziehen . . . Aber ich sah auch, wie jeder Neuankömmling eine Frische mit sich brachte. Wenn ich auch bei vielen lange danach suchen mußte, so gelang es mir doch immer, eine Spur Menschlichkeit an ihnen zu entdecken. Ich freute mich so sehr darüber, daß es mich echt bestürzte, feststellen zu müssen, wie diese Züge immer mehr schwanden, – bis ihr Ausdruck tot erschien, bis ich mich fragte, ob sie denn noch sie selbst sind oder nur eine Maschine, die jene Dinge erledigte, für die sie zusammengebastelt wurde. Vollautomatisch und zu jeder Zeit funktionsfähig, solange, bis sie kaputtgeht.

Als ich anfing, über diese Dinge nachzudenken, begann ich, mich vor mir selbst zu fürchten.

Ich wollte aussteigen. Aber wie?

Zu diesem Zeitpunkt erlebte ich die sieben vergangenen Jahre noch einmal, seitdem ich als 14jähriger Junge von zu Hause durchgebrannt war. Diesmal nur in Gedanken, aber jedes einzelne Abenteuer hatte sich so tief eingeprägt, daß mich sogar die Erinnerungen daran schmerzten. Es war eine höllische Qual, aber ich konnte nicht mehr aufhören, daran zu denken.

Ich zog durch die ganze Welt, passierte Grenzen illegal oder wurde abgeschoben – saß in verschiedenen Gefängnissen und Flüchtlingslagern, verdiente mein Geld durch Prospekte verteilen, Teller waschen, Zeitungen verkaufen, – arbeitete als Barkeeper, Küchenjunge, Bäcker, Friseur, Ofenmonteur und Chauffeur, – schlief in Hotels, zur Untermiete, auf Parkbänken, in Rohbauten und Kellern.

Ich fuhr Tausende von Kilometern per Anhalter und zog zwei Monate lang mit Zigeunern.

Die Höhen und Tiefen des Lebens erlebte ich in so extremer Weise, daß meine Gefühlswellen zur rauhen See wurden, zu einem tobenden Meer, in dem ich nicht mehr hatte, als ein lächerliches Floß – bald mit der Angst, daß es in Stücke gerissen würde, und bald mit der Freude, daß es den Wogen standhielt.

Aber Kurs hielt ich keinen, und versuchte ich es, so trieben mich starke Winde davon ab. Kam ich dann aufs Festland, so hatte ich mich an das Schaukeln so sehr gewöhnt, daß mich nichts mehr zur Ruhe bringen konnte. Keine Droge, kein Mädchen. Nichts. Ich hatte alles versucht, aber früher oder später bin ich daran vorbeigegangen oder wieder fortgezogen worden.

Nichts war mir wertvoll, mit Ausnahme meiner Freunde.

Starin lernte ich in einem Flüchtlingslager bei Belgrad kennen. Wie er wirklich hieß, wußten wir nicht. Aber wir nannten ihn Starin, was zu deutsch »Freund« heißt, weil er uns allen ein echter Kumpel war, stets gutgelaunt und hilfsbereit.

Auf uns unerklärliche Weise schaffte er Dinge herbei, die man uns untersagte, weil man sie nicht für lebensnotwendig hielt. Es kümmerte uns auch nicht, woher er dieses oder jenes hatte, sondern wir waren einfach froh darüber. Mit 15 Jahren war ich der Jüngste, und daran änderte auch die Tatsache nichts, daß ich mich für 19 ausgab. Aber vielleicht wurde ich gerade deshalb sein bester Freund. Nach allem, was er für mich getan hatte, wollte ich ihm am Tage meiner Überweisung in ein anderes Lager meine Uhr schenken, welche ich trotz aller Durchsuchungen behalten hatte. Aber er sagte, er könne das nicht annehmen.

Noch am selben Tag erfuhr ich, warum Starin ablehnte: Er befand sich bereits zwei Jahre freiwillig in diesem Lager. Und er wollte nicht mehr vom Leben, als sein Feldbett neben dem abbruchreifen Kamin und die Lagerration mit dem größten Stück Fleisch. Dafür gab er jedes Wort, das im Lager gesprochen wurde, an die Direktion weiter und setzte sorgfältig vorbereiteten Fluchtversuchen der aus dem Osten geflohenen Emigranten ein schnelles Ende, nachdem er sie dazu brachte, aus ihrer Vergangenheit zu erzählen.

Ich war nur fünf Wochen in diesem Lager, aber ich weiß, daß sich noch heute vier Männer in schwerer Haft in Polen und Ungarn befinden, weil Starin nicht mehr vom Leben will, als sein Feldbett neben dem abbruchreifen Kamin und die Lagerration mit dem größten Stück Fleisch.

Mahmud war Libanese. Er war 24 Jahre alt und in Beirut aus der Armee geflohen, weil er Krieg für Wahnsinn hielt. Wir trafen uns in Goriza, wo wir zusammen die jugoslawisch-italienische Grenze illegal überschritten, da weder er noch ich einen Paß hatten.

Für ihn schien nichts mehr im Leben schwierig, denn nun brauchte er nie wieder eine Waffe zu tragen. Er sagte in seinem guten Englisch zu mir: »Take this if you want!« (Nimm dieses, wenn du willst!) – und schenkte mir sein Klappmesser.

Dann erzählte er mir von seinem Land, von seinen Leuten. Wie gastfreundlich und strenggläubig sie seien. Niemals würde er einen Landsmann oder ein Landsmann ihn im Stich lassen. Er sagte: »Ich werde dich arabisch lehren, und wenn der Krieg vorbei ist, dann mußt du bei mir vorbeikommen, Beirut ist unvergeßlich!«

Doch die Italiener wollten ihn in sein Land abschieben. Aber noch in derselben Woche wurde er vor dem libanesischen Konsulat von drei Arabern, die aus seiner Heimat kamen, zusammengeschlagen, weil er nicht einer Meinung mit ihnen war.

Als ich ihn am Tage darauf im Krankenhaus von Padritchiano besuchte, bat er mich, ihm sein Klappmesser zurückzugeben. Als wir uns zum letztenmal die Hände schüttelten, murmelte er: »I'm sorry!« (Es tut mir leid!)

Ja, und dann war da noch mein Vater.

Es war Heilig Abend. Ich hatte gehört, daß er wieder verheiratet war, genauso wie ich wußte, daß seine jetzige Frau nicht duldete, daß ich auch nur eine Nacht in seinem Hause zubrachte.

Aber kam ich von irgendwoher zu ihm, dann besorgte er mir ein Fremdenzimmer, – ein Zimmer für Fremde. Irgendwo in der Vorstadt, denn dort war es billiger.

So besuchte ich auch damals meinen Vater, ohne sein Haus zu betreten. Ich stand eine Weile vor dem Fenster, indem ich den festlich geschmückten Raum sah. Es war kalt und es schneite. Aber allein dieser Anblick brachte mein Blut in Wallung. Ich konnte nicht hören, welches Lied er und seine Frau angestimmt hatten, und so ging ich in eine dem Haus gegenüberliegende Telefonzelle, wartete, bis der Gesang zu Ende war und wählte seine Nummer. »Dein Sohn wünscht dir eine frohe Weihnacht und ein glückliches neues Jahr!« Auf die Frage, wo ich denn im Augenblick sei, antwortete ich: »Weit weg von dir, Vater, und doch so nahe!«

Ich beobachtete, wie er sich mit der Hand auf den Tisch stützte, als er meinen Wunsch erwiderte und mich bat, bald wieder einmal nach Hause zu kommen.

Ich gab mir nicht mehr die Mühe, den Hörer wieder in die Gabel zu hängen, trat aus der Telefonzelle in die »Stille Nacht, heilige Nacht«, – und war wieder allein.

Später lernte ich Bob kennen. Das heißt, zunächst wollten wir uns gar nicht kennen, denn wir stritten uns um den Platz in einem abgestellten Zug, der in einem kleinen Bahnhof in Nord-England stand und sich wunderbar eignete, die schon kalten Nächte darin zu verbringen.

Wir hätten ja nicht nur Platz für uns beide gehabt, sondern konnten noch eine ganze Kricket-Mannschaft einladen. Aber er war der erste, und als ich durch eines der Fenster in den Waggon einstieg, wollte er mich unbedingt hinausjagen.

Er sagte: »Ist ein zweiter hier, so kommt ein dritter, wo drei sind, ist die Polizei nicht mehr weit.« Außerdem wollte er alleine sein. Dafür hatte ich allerdings überhaupt kein Verständnis. Nun, wir konnten uns auf menschliche Art nicht einig werden, und so begannen wir, nach »tierischen Regeln« Herr der Lage zu werden. Ich hatte Glück und er einen gebrochenen Kiefer. Diese Nacht verbrachten wir beide in dem Waggon, aber keiner konnte auch nur ein Auge zutun; er nicht der Schmerzen und ich nicht seines Jammers wegen. Am nächsten Tag mußte er ins Spital, und das bedeutete für Leute, in der Lage, wie wir es waren, Schwierigkeiten, Geldprobleme und manchmal sogar Knast.

Das Gefängnis aber scheute Bob mehr als ein geregeltes Leben. Und so gingen wir, nachdem man ihm den Kiefer wieder einigermaßen hergestellt hatte, als Candyman arbeiten, um die Spitalkosten zu bezahlen. Er verkaufte Eiscreme und ich Dauerlutscher. Als wir die Summe beisammen hatten und ich merkte, daß die Sache mit den Dauerlutschern doch nicht so süß war, zog ich weiter. Bob aber blieb in seinem Fach, und heute besitzt er vier Wagen, die einen ganzen Bezirk mit Eiscreme und Süßigkeiten versorgen.

Patrice war italienischer Abstammung, in den Vereinigten Staaten aufgewachsen und als ich sie kennenlernte, schon drei Jahre in Holland seßhaft.

Ich traf sie in irgendeiner Straße, als sie mich fragte, ob ich »Stoff« bei mir hätte. Sie gefiel mir und deshalb log ich sie an und sagte »ja«. Sie lud mich ein, zu ihr in die Wohnung zu kommen, aber Freundlichkeit und Hoffnung waren schnell verschwunden, als ich ihr gestand, warum ich ihre Frage nicht wahrheitsgemäß beantwortet hatte. Ihr Wortschatz schien unerschöpflich, aber meine Geduld war unübertrefflich. Ich blieb still und unbewegt, bis sie merkte, daß ihre Demütigungen auf mich keinen Eindruck machten.

Schließlich ließ sie den Regen ihrer Probleme auf mich niedergehen. Ich wollte ihr helfen und besorgte ihr das, wonach sie verlangte, denn ich wollte sie glücklich sehen. Und diese Nacht war sie glücklich – und ich mit ihr. Aber ich wußte nicht, was es heißt, glücklich zu sein!

Ja, sie alle und hundert mehr, waren mir teuer geworden. Teuer, weil sie das einzige waren, was ich besaß. Sie waren die Flamme in mir, an der ich mich wärmte, und sie waren die Flamme, die mich verzehrte.

Aber was war inzwischen aus mir geworden? Die Legion konnte mir zwar eine Bleibe geben, aber sonst nichts. In mir war immer noch diese große Finsternis, eine Ungewißheit und das Verlangen nach dem Ende meiner Unruhe und Unzufriedenheit. Worin unterschied ich mich eigentlich von den anderen?

Als ich begann, abzuwägen, welche Vorteile und welche Nachteile mein Anderssein mit sich brachte, da fühlte ich mich wertlos. Was ist ein Mensch wert? Kann er an Wert zunehmen und kann er an Wert verlieren? Wie teuer bin ich selbst? Woran oder worin liegt der Wert des Menschen?

Mein Suchen nach Antworten auf diese Fragen wurde fieberhaft. Ich mußte die Lösung finden, denn ich ahnte, daß sich etwas verborgen hielt, was mir bei allen Erlebnissen noch unbekannt war. Dieses Gefühl, das Leben völlig ausgeschöpft zu haben, und der Gedanke, daß es nichts mehr gibt, was es nicht schon gab, verschwand plötzlich.

Von Zeit zu Zeit wurde mir gewisser, daß sich noch irgend etwas für mich bereithielt, irgend etwas, was ich bisher nicht beachtet oder völlig übersehen hatte.

Da lag es schon für mich bereit, die Antwort auf meine Fragen, die wirkliche Freiheit, die Gewißheit und ein neuer Anfang. Alles stand schon in einer Person hinter mir und ließ mich auf wunderbare Weise den Kopf wenden!

Es war im März dieses Jahres, als ich nach viermonatigem Einsatz in Ostafrika zurück in die Garnison nach Korsika kam. Ich hatte zehn Tage Urlaub zur Umgewöhnung an das Klima bekommen.

Eines Abends fuhr ich mit zwei Kameraden in die Stadt, um – wie wir uns vornahmen – nach langer Zeit der von uns gern besuchten Bar des Calvi-Hotels einen Besuch abzustatten. Aber wir wurden enttäuscht, denn die Bar war geschlossen, das Hotel von den Deutschen gepachtet und uns, so sagte der Fahrer, wäre der Zutritt nicht gestattet. Das war uns Grund genug, erst recht hinzugehen.

Es war früh am Nachmittag, und außer Brigitte, dem Fräulein am Empfang, trafen wir niemand an. Sie aber bestätigte, was wir schon bei der Ankunft im Taxi hörten, bis auf eine Abweichung: anstatt uns den Eintritt zu verbieten, lud sie uns für den Abend ein.

Meine Freunde Fred und Paul kamen aus Holland und Sizilien, sprachen aber beide gut Deutsch, und wir erinnerten uns an einige Abende, die wir schon mit

Touristen verbracht hatten, und so nahmen wir die Einladung an. Wir wußten, daß wir die einzigen Soldaten sein würden, waren darüber aber froh, denn wir hatten es satt, nur Uniformen zu sehen.

Als wir am Abend zurückkamen, war der Saal bereits gefüllt. Ich erinnere mich gut: in der Mitte stand ein bärtiger Mann mit einer Gitarre. Er lachte uns mitten ins Gesicht und sang dabei: »Ich habe Freude in meinem Herzen –«, und dann stimmte der ganze Saal ein: »Freude, Freude, Freude, Freude«, und wir konnten nichts anderes mehr empfinden.

Man brachte uns dann Stühle, und bescheiden, wie wir es gewohnt waren, wollten wir uns in die letzte Reihe setzen. Aber eine ältere Dame, die mir schon beim Eintreten aufgefallen war, weil sie ihre Freude nicht nur sang, sondern dabei auch noch in die Hände klatschte, wie ich es zuvor nur bei den Tiroler Holzfällerbuben sah, war gar nicht damit einverstanden, daß ich mit meinem Stuhl das Weite suchte. Sie packte mich kurzerhand am Arm, so daß ich gezwungen war, den Stuhl abzustellen, um mich darauf zu setzen und drückte mir ein Liederbuch in die Hand. Denn nach der Freude kamen noch die anderen Strophen des Friedens, der Liebe und der Ruhe, so daß ich mich fragen mußte, wie denn dies alles in einem Herzen Platz haben könnte.

»Die kommen aber ganz schön schnell in Stimmung«, sagte Fred, der Holländer, zu mir, und ich mußte ihm Recht geben. Aber da erst fiel uns auf, daß anstelle der üblichen Wein- und Bierflaschen Bibeln auf dem Tisch lagen. Nun, wir waren etwas verstört, denn daß dies kein Gottesdienst war, war uns klar, nur was sollten die Bibeln auf den Tischen?

»Ist nett von Euch, daß Ihr gekommen seid, vielleicht

stellt Ihr Euch am besten gleich mal vor!« sagte der Bärtige. Er schien der Wortführer zu sein. Nach gelernter Manier stand ich auf und stellte mich vor. »Ich heiße Kurt und« – da war es passiert, daß ich mich mit meinem richtigen Namen vorstellte und nicht als Karl, wie man mich in der Legion ausgab. Die bringen einen ja ganz schön aus der Fassung!

Jetzt stellten sich auch meine beiden Freunde vor, und es war das erste Mal, daß ich nun auch ihren richtigen Namen kennenlernte, obwohl wir schon zwei Jahre beisammen waren! Seltsam, dachte ich. Aber da bekam ich auch schon von der Oma einen kräftigen Stoß in die Seite, weil ich ganz vergessen hatte, bei dem Lied mitzusingen, das der Bärtige inzwischen wieder angestimmt hatte.

Aber der Ton war einfach zu hoch für mich. So bewegte ich nur meine Lippen und begann dabei zu schwitzen: »Hoffentlich merkt Oma nichts davon!« Aber sie schmunzelte mich an, zwinkerte mit dem Auge und nickte dabei bedächtig mit dem Kopf – so wie es meine Mutter tat, als ich noch ein kleiner Junge war und mit jemandem über meine neuesten Lausbubenstreiche sprach.

Jetzt war wieder der Bärtige an der Reihe: »Wir wollen uns zum Gebet neigen.« Also doch ein Gottesdienst! Fieberhaft versuchte ich, mich an die Worte des Vaterunsers zu erinnern, das ich irgendwann einmal in der Schule auswendig gelernt hatte. Jetzt bin ich blamiert, dachte ich, denn zwischen Vater, Himmel und Erde fehlte mir jeder Zusammenhang. Aber dann begann Oma zu sprechen. Was wohl in sie gefahren war? Sie bedankte sich bei irgend jemandem für die Schiffsreise, aber mit wem sprach sie überhaupt? Ich wagte nicht, meine Augen zu öffnen, obwohl es mich brennend interessierte. Aber vielleicht, dachte ich, beobachtet mich der Bärtige, und dann würde er wissen, daß ich kein Christ war. Ja, und dann wäre alles dahin. Sie würden mich nicht mehr als einen der Ihrigen betrachten, und meine Freude würde so schnell verschwunden sein wie sie kam.

»Gott, wir danken Dir, daß Du diese drei Legionäre zu uns geführt hast, und wir bitten Dich darum, daß sie Dich hier erkennen dürfen und zu Dir kommen und Du ihnen ein neues, ewiges Leben schenkst!« Diese Worte kamen aus irgendeiner Ecke, und aus wessen Mund sie auch stammten, ich fand sie rührend. Aber das mit dem neuen Leben mußte wohl noch etwas warten, denn mein Vertrag in dieser Armee galt noch bis 1979.

Einer nach dem anderen begann für mich und meine Freunde zu beten.

Sie redeten so einfach und unkompliziert zu Gott, als unterhielten sie sich mit einem ihrer Freunde. Man konnte meinen, der HErr sitze hier im Saal, vielleicht auf einem freien Stuhl in der Ecke hinten oder er hatte den freien Platz des Bärtigen eingenommen. Oder war er in jedem einzelnen selbst zu finden?

Jeder dankte für etwas oder brachte seine Probleme, und die anderen bekräftigten ihre Anteilnahme durch ein lautes Amen. Sie baten den HErrn um Vergebung von Dingen, deren ich mich niemals schuldig gefühlt hätte. Und da begann ich, diese Leute zu beneiden. Wie rein und frei mußten sie innerlich sein, um für Dinge zu danken und zu beten, die ich als selbstverständlich ansah. Schon wollte ich auch auspacken, aber was würde der liebe, gute Gott sagen, wenn ich Ihm alles so hinwarf? Und was würden die Leute denken? Nein, das war unmöglich! Und so schwieg ich. Doch in diesem Augenblick wich die erste Portion Freude von mir, und ich fühlte mich nicht mehr so ganz dazugehörig.

Aber dieses Problem sollte sich bald lösen, denn es blieb nicht bei diesem einen Abend. Jede freie Stunde verbrachten wir nun mit diesen Leuten. Immer wieder führten uns die Gespräche an den Punkt, den wir nicht fassen konnten: »Jesus Christus ist auferstanden!«

Je mehr ich über diese Behauptung nachdachte, desto nebensächlicher schienen mir alle anderen Lebensfragen.

Diese Christen waren sehr freundlich zu uns und deckten uns mit Traktaten und christlicher Literatur ein, die wir erst einmal beiseitelegten.

Nur ein Buch hatte ich herausgegriffen, dessen Titel mich reizte: »Vom Knast zur Kanzel«. Sollte es Männer geben, die auf der Kanzel stehen und deren Vergangenheit nicht in der Absolvierung theologischer Seminare bestand, sondern die Außenseiter wie ich waren?

Was hatte ein Verbrecher von der Kanzel zu rufen? Noch bevor ich das Buch durchgelesen hatte, wurde in mir die Hoffnung wach, daß Gott auch mir diese Veränderung und Erfüllung schenken könnte.

Noch einmal blickte ich auf mein verpfuschtes Leben zurück und stellte mich der Sinnfrage meines Lebens, die mich wieder eingeholt hatte. Es gab kein Vorbei mehr.

Einmal muß jeder von uns den Finger durch die Tapete des Lebens stecken und sich fragen: was ist denn eigentlich dahinter? Habe ich mein Leben gelebt oder habe ich es zerstört? Ist das eigentlich alles, was ich hier erlebe?

Obwohl ich sehr viel erlebt hatte, stellte sich auch mir die Frage: Ist das eigentlich alles, womit mich diese Welt füttern will?

Bin ich nur dazu da, um einigen Leistungsprozessen zu

genügen? Und diese Frage nach dem Sinn des Lebens ist ja schließlich auch kein Zufall, sie ist uns auferlegt. Sie stellt sich einem jeden von uns. Solange wir diese Frage nicht beantwortet haben, solange diese Frage ungelöst bleibt, weil wir sie beiseite schieben oder zu vergessen suchen – in der Arbeit, im Hobby, in Liebesaffären, im Alkohol, in Drogen oder auch wie ich, im Abenteuer –, solange wir keine Antwort auf diese Frage haben, werden wir sie nicht aus der Welt schaffen, sondern diese ungelöste Sinnfrage wird unser Leben vernichten.

Und da kamen diese Leute mit ihrem Jesus zu mir und behaupteten: die einzige Antwort, die auch dann noch Bestand hat, wenn alles andere umgefallen ist; wenn andere Immanenzantworten, d. h. von Menschen und deren Vorstellungen angebotene Antworten bis zu diesem Punkt erfahren worden sind, wo man dem Tod gegenübersteht, da behält d e r Recht, der im Absolutheitsanspruch der ganzen Welt zuruft:

»ICH bin der Weg, die Wahrheit und das Leben!« – JESUS CHRISTUS. Die Schläue eines Bürgermeisters fiel mir ein, der sein Amt in einem kleinen Dorf ausübte. Es hatten sich dort zwei Frauen gestritten, und die erste ging zum Bürgermeister und erzählte ihm alles. Dieser hörte sich das an und meinte anschließend: »Gnädige Frau, wenn das so ist, dann muß ich Ihnen in diesem Streit Recht geben.« Die Frau war sehr erfreut, und strahlend ging sie nach Hause.

Aber kurz darauf kam die andere Frau herein und erzählte dem Bürgermeister alles aus ihrer Sicht. Wiederum hörte er sich alles an, und als sie ausgeredet hatte, meinte er: »Wenn das so war, gnädige Frau, dann sind Sie natürlich im Recht.«

Die Sekretärin, die dabeisaß, schüttelte den Kopf und

meinte zum Bürgermeister: »Aber Herr Bürgermeister, das können Sie doch nicht machen. Sie können doch nicht beiden Frauen Recht geben!«

Da legte er seine Hand auf ihre Schulter und sagte: »Da haben Sie auch Recht!«

Ich glaube, daß wir gerade heute in dieser Gefahr leben, jedem Recht zu geben, nur um unsere Ruhe zu haben. Wir werden mit so vielen Informationen beschossen, daß viele von uns mehr und mehr das Bedürfnis haben, alle Kommunikationen abzuschalten, um wieder einen emotionellen Freiraum zu erhalten. Aber wir können uns ihrem Einfluß nicht entziehen. Denken wir nur an Radio, Fernsehen, Illustrierte und Drucksachen. In uns schreit es laut: »Aufhören! Laßt mich doch endlich in Ruhe!« Wir können auf einmal nicht mehr auf neue Informationen reagieren, wir können sie nicht mehr in unser Leben integrieren, selbst wenn sie Tod oder Leben ausmachen.

Eine Folge dieser beängstigenden Entwicklung ist, daß sich die Art unseres Zuhörens geändert hat. Um uns vor der Flut des Lärms zu schützen, haben wir unbewußt ein psychisches Abwehrsystem entwickelt, eine Art Sieb oder Filter. Dieser Filter läßt automatisch nur die Informationen hindurch, die den Eindruck erwecken, daß sie uns helfen, unsere eigenen bedrängendsten Bedürfnisse zu befriedigen und unsere persönlichen Ziele zu erreichen.

Wir versuchen in einer von der Werbung versprochenen Lebensfreude zu leben. Aber wir sind nicht wirklich froh. Trotzdem wird uns weiter eingehämmert, daß das Produkt X und System Y uns glücklich machen. Haben wir dann zugegriffen und fühlen uns trotzdem nicht wohl, verzweifeln wir an uns selbst. Das darf aber kein anderer merken, und darum bemühen wir uns, unter allen

Umständen nett, gepflegt und ausgeglichen zu wirken, egal wie einsam, leer und hoffnungslos wir uns fühlen. Wie man als der gewandte und aufgeschlossene Mensch der 80er Jahre aufzutreten hat, wird uns ja überall vorexerziert. Da jeder von uns durch Anschauungsunterricht weiß, wie man glücklich und ausgeglichen erscheint, wird das Gefühl der Einsamkeit noch schmerzhafter, wenn ich dem Nächsten begegne, denn auch er hat ja die Maske der Lebensfreude aufgesetzt.

Ich erkannte sehr bald, daß es hier um viel mehr ging, als um mit einem »vielleicht haben Sie auch Recht« zu antworten. Zu lange war ich auf der Suche, zu oft hatten meine Finger ins Leere gegriffen, um einer letzten Täuschung zu erliegen oder um die gesuchte Wahrheit nicht zu erkennen.

Die Behauptung dieser Christen: »Jesus Christus ist auferstanden, Er lebt, Er ist uns näher als die Luft, die wir einatmen«, diese Behauptung war zu herausfordernd, um zu antworten: »Sie könnten ja Recht haben!«

Entweder ist Jesus Christus eine Märchenfigur und die Christen sind Lügner, oder in diesem Mann ist Gott Mensch geworden. Dann haben die Menschen vom Islam bis zum Katholizismus soviel Tatsachen umgegraben, gepflanzt und ausgerissen, daß wir in diesem Chaos das Zentrale nur noch schwer erkennen können; so daß wir vor lauter Lügen und Irrlehren nur immer dann die Wahrheit erfahren, wenn wir uns Jesus Christus selbst zuwenden, wenn wir aufs Kreuz blicken.

Das Kreuz Jesu Christi war es auch, das mich besonders faszinierte. Denn dort wurde nach Gottes Aussage die Belohnung für mein Leben ausgezahlt. Die Belohnung für mein und unser aller Leben: der Tod!

Als ich die Kreuzigung in der Bibel las und einige

andere historische Berichte über die Kreuzigung, da wurde mir dieses Geschehen sehr lebendig.

Es war mir zumute, als würde sich alles vor meinen Augen abspielen.

Der Verurteilte wurde, auf ebener Erde liegend, an den Querbalken genagelt. Bei der Annagelung wurden die Nägel zwischen den Knochen des Handgelenkes hindurchgetrieben und verursachten unerträgliche Schmerzen.

Dann wurde er auf dem gut drei Meter hohen Pfahl, der auf dem Strafplatz stand, hochgezogen. Danach trieb man einen langen Nagel durch die übereinanderliegenden Füße. Die Kleider des Gekreuzigten fielen dem Hinrichtungskommando zu. Die Gekreuzigten quälte furchtbarer Durst, rasende Kopfschmerzen und heftiges Fieber. Die Hängelage verursachte Atemnot, und der Verurteilte konnte dem Erstickungstod nur entgehen, wenn er sich, gestützt auf den Nagel, der die Füße durchbohrte, vorübergehend aufrichtete. Im abwechselnden Heben und Senken des Körpers, in Atemnot und Atemschöpfen vollzog sich der Todeskampf.

Ich konnte nicht mehr sagen: ich war damals nicht dabei. Keiner von uns kann das sagen, denn wenn Jesus damals schon für uns heute gestorben ist, dann kreuzigen wir Ihn heute noch seit damals, wir, die wir nichts von Ihm wissen wollen. Dann sind unsere Wünsche und Ziele, unsere Worte und Taten ein Hammerschlag auf einen der Nägel des Kreuzes. Dann ist unser gesamtes Leben, das wir ohne Ihn leben – unser Todesurteil.

Ich hatte bisher falsch gelebt, ich war sehr weit weg – ich hatte zugeschlagen wie ein Wilder, und Er rief mir das zu, was Er uns allen zuruft: »Es tut mir weh! Jeder Hammerschlag, jeder Wunsch, jedes Ziel, jedes Wort und jede Tat ohne Mich, all das tut Mir weh, – aber Ich habe euch lieb! Ich habe dich lieb und möchte dich annehmen!«

Mein Wunsch war es, dieses Leben, das mir von Jesus angeboten wurde und das einem jeden von uns zugedacht ist, anzunehmen. Ich begriff, daß dieser Jesus Christus auch mich meinte, daß Seine Worte auch mir galten, und daß Sein Tod auch mein Tod sein konnte, so daß durch Seine Auferstehung eine neue Persönlichkeit in mir geboren werden konnte, ein neues Leben. – Als mir bewußt wurde, daß ich jetzt sterben konnte, ein für allemal, und daß ich jetzt leben könnte, ein für allemal, – daß dieser Jesus zu mir sagte: »Kurt, du bist ein Verbrecher, ein Sünder, aber Ich habe dich lieb, Ich möchte dich annehmen, Ich möchte euch alle annehmen – kommt!«

Dieses Angebot erreichte mich während einer Manöverfahrt, auf der Ladefläche eines LKWs. Meine Hände hielten ein kleines Johannesevangelium, in dem ich während der Fahrt die Kreuzigungsgeschichte las.

Wer die Straßen in Korsika kennt, wird verstehen, warum ich jedes Wort siebenmal vor die Augen bekam.

Das Bild des Gekreuzigten stand auch noch vor mir, als ich das Evangelium zur Seite gelegt hatte. Ungeduldig erwartete ich den Abend, um ungestört mit diesem Herrn sprechen zu können.

Ich konnte nichts anderes mehr tun, als vor Ihm auf die Knie zu gehen und zu sagen: »Herr, hier bin ich, ich übergebe Dir mein Leben. Behalte alles von mir Zugefügte, Künstliche, alles falsch Aufgeputzte, und gib mir das, was natürlich ist; erfülle Du mich und übernimm Du die Herrschaft meines Lebens!«

Wieder kamen mir die Worte Jesu in den Sinn: »Wer

an Mich glaubt, der hat ewiges Leben.« Und wieder sah ich das Kreuz vor mir: dasselbe Kreuz, das uns als Zeichen so gut bekannt, aber als Lebensinhalt verbannt ist. Auf Türmen, an Wänden und am Hals liebt man es, aber in der Tat haßt man es. In Bekenntnissen und Lehrsätzen ist man ein Freund und in der praktischen Lebensgesinnung ein Feind des Kreuzes. Vielleicht ist mit nichts in der Welt eine solche Heuchelei getrieben worden, wie mit diesem Kreuz.

Dem einen ist es ein ehernes Götzenbild geworden, dem anderen ein magisches Wunderzeichen, dem dritten ein flammendes Kampfzeichen, dem vierten ein kostbares Schmuckzeichen, dem fünften ein schwarzes Trauerzeichen, dem sechsten ein verhaßtes Ärgernis. Und doch ist es weiter nichts als der Galgen, an dem Christus für mich gestorben ist.

Es erfüllte mich eine tiefe Freude, und ich wußte, daß mir vergeben war.

Ich begann nun in der Bibel zu lesen und zu verstehen; und mein Gebet ist seitdem, daß Gott mich zu einem Mann macht, der an »das Leben« glaubt und nach dem greift, was Er ihm bietet, jederzeit und nach allem, ohne Hast, aber auch ohne zu zögern.

Der weiß, daß das, was Gott ihm bereithält, gut für ihn ist, und der weiß, daß es sinnlos ist, auch nur in Gedanken zu begehren, was nicht für ihn gedacht ist.

Ein Mann, der an ein nutzvolles Verstreichen aller seiner Tage glaubt, an eine sich lohnende Mühe und der sich deswegen dem anvertraut, der den Grund aller Dinge beherrscht. Mein Gebet ist, daß Gott mich zu einem Mann macht, der sich zu beherrschen versteht in seinen Leidenschaften und Interessen, in seinen Forderungen und seinen Launen; ein Mann, der es versteht, zu kämpfen und der gelernt hat zu leiden, für all das, was uns gegeben ist.

Der seine Feinde verabscheut und, wenn nötig, gewalttätig gegen sie vorgeht, wohl wissend, daß er selbst und das Übel seine einzigen Feinde sind.

Ein Mann, der es lernen möchte, mit aller Gewalt der Aufopferung und aller Regung seiner Gefühle, mit all seiner Intelligenz und aller Kraft, die ihm geschenkt wurde, Gott, seinen Herrn, zu lieben.

Und schließlich ein Mann, der auch zu sterben versteht, der weiß, was es bedeutet, sein Leben herzugeben: es nicht zu verlieren, sondern es gerettet zu haben; der weiß, daß nun das Eindringen der Vergänglichkeit in die Ewigkeit stattfindet.

Willy Mones

# Im Griff der Angst

Ich war schon mit zehn Jahren zum Alkoholiker programmiert, obwohl ich bis dahin nie einen Tropfen Alkohol getrunken hatte. Meine Eltern mußten heiraten, weil ich unterwegs war. In der französischen Schweiz erblickte ich das Licht der Welt, und nach zwei Jahren bekam unsere Familie weiteren Zuwachs: ich bekam einen Bruder, den meine Mutter abgöttisch liebte. Soweit ich mich zurückerinnern kann, habe ich schon als kleiner Knirps gefühlt, daß ich nicht geliebt wurde. Ich kann mich nicht entsinnen, jemals eine Zärtlichkeit bekommen zu haben.

Als 1939 der Zweite Weltkrieg ausbrach, zog unsere Familie nach Frankreich. Ich kam auch dort zur Schule und wurde als einziger Deutscher unter französischen Kindern ausgestoßen. Als »Saudeutscher« war ich bekannt und wurde als solcher behandelt. Wenn zum Beispiel der Fliegeralarm kam und die Lehrerin mit der Klasse in den Bunker lief, wurde ich von der Lehrerin zurück auf den Schulhof geschickt – im Bunker war kein Platz für mich. Bis heute habe ich die Angst nicht vergessen, die ich dort als Schuljunge vor den angreifenden Tieffliegern hatte.

Schon in dieser Zeit litt ich unter entsetzlichen Alpträumen. Im ersten Traum war es dunkle Nacht. Ich stand auf einem Hügel, schaute ins Tal hinab und sah dort eine Ruine, deren Anblick in mir Entsetzen auslöste. Hinter dieser Ruine gingen Tausende Drähte ins

Nichts, und ehe ich mich versah, wurde ich in diese Drähte verwickelt und hin und her geschleudert.

Auch in dem zweiten Traum war es dunkel. Ich stand auf einem Balkon der zweiten Etage eines U-förmigen Hauses. Dieses Haus hatte keine Fenster, sondern nur rechteckige Löcher. Aus einem dieser Löcher kam eine verhüllte Gestalt heraus, die mit einem langen Dolch in der Hand hinter mir herlief und mich verfolgte. Von Angst gejagt floh ich, und als ich mich nach der Gestalt umschaute, verschwand sie in einem Loch. Als ich daraufhin in die Ferne sah, stand plötzlich eine Stadt am Horizont vor mir, mit vielen goldenen Türmen und Kuppeln. Sie glänzte in einer herrlichen Farbenpracht, so daß ich wie gebannt dorthin schaute, aber dann war der Traum plötzlich zu Ende.

Beide Träume träumte ich abwechselnd bis zu meinem dreizehnten Lebensjahr.

Bald marschierten die deutschen Soldaten in Frankreich ein, und wir wurden als Volksdeutsche zurück nach Deutschland geschickt. Wir zogen dann nach Wuppertal. Mein Vater wurde zur Wehrmacht eingezogen und nach Rußland geschickt, wo er 1943 vor Leningrad fiel.

In dieser Zeit, als Wuppertal den Angriffen der Engländer und Amerikaner ausgesetzt war, wurden wir Kinder ins KLV-Lager nach Jöstadt im Erzgebirge gebracht.

So wunderschön die neue Umgebung war, so brutal wurden wir selbst im Lager behandelt. Die Jungzugführer tyrannisierten uns, indem sie unsere Hilflosigkeit bestialisch ausnutzten. Eine besondere Freude bereitete es ihnen, uns des Nachts um vierundzwanzig Uhr zu wecken. Sie brüllten dann »Achtung!«, worauf wir in

Windeseile aus unseren Betten springen und strammstehen mußten. Danach wurden die Matratzen untersucht. Die Jungen, deren Matratzen naß waren, mußten sich ausziehen. Die Jungzugführer nahmen ihre Koppeln ab, zogen das Koppelschloß bis an das Ende des Riemens und schlugen dann voll auf uns ein, bis das Blut spritzte. Wenn sie besonders mies gelaunt waren, zogen sie uns in die Waschräume und schlugen uns mit ihren Fäusten die Nasen blutig. Zwei- bis dreimal in der Woche war ich unter den Unglücklichen. Können Sie sich meine Angst vorstellen? Nach dem zu Bett gehen raste ich oft zwanzigmal zur Toilette und hatte stündlich Furcht, um vierundzwanzig Uhr wieder unter den Opfern zu sein.

Am Ende des Krieges, kurz bevor die Russen kamen, wurden wir von der Lagerleitung allein gelassen. Nur noch eine Frau blieb bei uns, die Pilze zubereitete, die wir für unsere Mahlzeiten im Wald sammelten. Die Russen, die bald darauf kamen, waren sehr freundlich zu uns. Ich erinnere mich noch gut, wie sie mit einem alten Opel Kadett zu uns kamen und an uns Schokolade und Bonbons austeilten.

Als zwölfjähriger Junge bin ich dann mit drei weiteren Freunden des Nachts über Leipzig, Halberstadt nach Bad Harzburg in den Westen geflohen. Nachdem wir schon die Grenzen zum Westen passiert hatten, gingen wir eine Straße entlang nach Bad Harzburg. Als wir dort ankamen, fragten uns ganz erstaunt und aufgeregt die Leute, woher wir kämen. Nachdem wir unseren Weg beschrieben hatten, schlugen sie ihre Hände über dem Kopf zusammen. Die Straße, die wir benutzt hatten, war total vermint. Ein amerikanischer Jeep kam dann und ein Offizier versorgte uns mit dem Notwendigsten, so daß wir in unsere Heimat zurückreisen konnten.

Als ich im August 1945 in dem zerbombten Wuppertal ankam, wartete ein neuer Schock auf mich. In der Wohnung meiner Mutter war Jubel, Trubel und Heiterkeit. Als ich die Korridortür aufmachte, stand ich einer Anzahl Schwarzhändler, Besatzungssoldaten und Freundinnen meiner Mutter gegenüber. Der Alkohol floß in Strömen.

In meinem Elternhaus fanden die Schläge wegen der Bettnässerei ihre Fortsetzung. Meine Mutter schlug mich grün und blau, wenn es mal wieder passiert war. Wenn ich dann am anderen Morgen in meiner kurzen Hose zur Schule ging, konnten meine Schulkameraden die Spuren des Handfegers sehen, mit welchem meine Mutter die Prügel zu verabreichen pflegte. Grausam, wie Kinder manchmal sein können, fanden sie ihre Freude daran, dann noch auf die blauen und grünen Flecken zu treten. Meine Angst war oft so groß, daß ich mich beim Pausenbeginn außerhalb des Schulhofes versteckte, um am Ende der Pause wieder in die Klasse zu rennen.

In dieser Zeit kam mir zum erstenmal der Gedanke an Selbstmord. Ich wollte nicht mehr leben, aber ich wußte nicht, wie ich mir das Leben nehmen konnte.

Zu Hause war immer viel Besuch. Engländer und Deutsche trafen sich und machten Schwarzhandelsgeschäfte, mit denen wir uns über Wasser halten konnten. Meine Mutter machte in dieser Zeit mehrere Herrenbekanntschaften und lebte eigentlich ihr eigenes Leben. Sie war sehr exzentrisch und nervös, alles war ihr zuviel und bei den kleinsten Kleinigkeiten konnte sie sehr ungehalten sein. So war es für mich schwer, mich als junger Mensch gesund und normal zu entwickeln. Die ganze Lebenssituation, die Angst, die Hemmungen, Minderwertigkeitsgefühle, Hilflosigkeit und Einsamkeit hat mein ganzes Verhalten geprägt und fehlgesteuert. Wenn ich dann einmal wieder alles falsch gemacht hatte, wußte mir meine Mutter nichts anderes zu sagen, als daß ich blöd und dumm sei. Sie ist nie auf den Gedanken gekommen, mit mir über mein Verhalten zu sprechen oder mir irgendwie Mut zu machen. Immer wenn ich nach Hause kam, überfiel mich die Angst, und ich fragte mich, wie meine Mutter wohl jetzt gelaunt sein würde. Es war ein entsetzliches Leben.

Ich möchte meine Mutter nicht schlecht machen. Sicherlich war auch sie ein Opfer ihrer Zeit, und sie hatte auch Momente, in denen sie gut war. Der Krieg hat sicherlich auch in ihrem Leben Spuren hinterlassen.

Mit 14 Jahren begann ich in Mettmann eine Werkzeugmacherlehre bei der Firma Seibel. Jeden Tag fuhr ich die Strecke von Barmen nach Mettmann mit dem Zug. Abends saß ich dann in der Bahnhofswirtschaft bei einer Tasse Kaffee oder einem Glas Limonade, um auf den Zug zu warten.

Eines Tages kamen die Gesellen dazu und fragten mich, was für eine Memme ich sei, denn ein anständiger Mann würde doch Bier trinken. Zum erstenmal in meinem Leben bestellte ich mir daraufhin einen halben Liter Bier. Nachdem ich das Glas geleert hatte, spürte ich ein inneres Wohlbefinden, und ich fühlte mich frei von dem Druck, der auf mir lag. Von diesem Abend an bestellte ich mir keine Tasse Kaffee und keine Limonade mehr. Nach zwei Wochen reichte mir ein Glas nicht mehr, und es dauerte auch nicht mehr lange, bis ich meinen ersten Vollrausch hatte. Die Einsamkeit und die fehlende Geborgenheit zu Hause trieben mich immer mehr in die Wirtschaften.

Als ich dann als Geselle meine Stelle wechselte, lernte ich einen Kollegen kennen, der mich für das Mundharmonikaspielen begeisterte. Wir kauften uns Instrumente, begannen zu üben und gründeten das »Asmuß-Mundharmonika-Trio«. Zuerst übten wir in einem Bierkeller und traten dann bei kleineren örtlichen Festlichkeiten auf. Nach fast jeder Veranstaltung waren wir blau. Unser Trio wurde bald auch über die Grenzen der Stadt hinaus bekannt, und wir wurden zu den verschiedensten Veranstaltungen gerufen. Einmal wurden wir sogar zu einer Aufnahme nach Düsseldorf eingeladen, wo wir in Peter Frankenfelds Fernsehsendung »Jeder kann mitmachen« auftraten.

Einen weiteren Schritt abwärts brachte mich die Tatsache, daß mich mein Mädchen, mit dem ich dreieinhalb Jahre gegangen war, mit einem anderen Mann betrogen hatte. Die ganze Welt und mein Leben erschienen mir nun völlig sinnlos. Ich trieb mich in den Nachtlokalen herum, und mein einziger Trost bestand darin, mich nach Feierabend vollaufen zu lassen. Jeder Rausch tat mir gut, die manchmal unangenehmen Nebenerscheinungen nahm ich in Kauf. Hauptsache, ich konnte vergessen. Mein ganzes Denken und Arbeiten, mein ganzes Leben richtete sich darauf ein, trinken zu können. Jeder normale Mensch kann dieses Prinzip eines haltlosen Menschen nicht verstehen.

Der Alkohol enthemmte mich völlig; ich, der ich früher ängstlich und zurückhaltend war, wurde zu einem Schläger und verlor jedes Empfinden für meine Mitmenschen. Auch die Polizei lernte mich in dieser Zeit besser kennen.

Als ich einmal in einer Kneipe an der Theke stand, stellten sich zwei achtzehnjährige Jungen links und rechts neben mich. Als ich mir dann ein Glas Bier bestellte, nahm mir mein linker Nachbar das Glas weg. Nachdem ich mir das zweite Glas bestellt hatte, nahm mir der andere junge Mann das Glas weg. Als mir dann auch noch das dritte Glas ausgetrunken wurde, stieg ein unbändiger Zorn in mir hoch, und ich sagte sehr deutlich: »Herr Wirt, das vierte Glas trinke ich!«

Nun kam, was kommen mußte. Einer der beiden Kerle wollte sich das vierte Bierglas nehmen, aber dann habe ich zugeschlagen und beide verhauen. Zuletzt habe ich sie durch die Pendeltüre nach draußen auf die Straße geschmissen, worauf der Wirt die Polizei rief.

Als die Polizei kam, bin ich aus der Kneipe nach draußen gelaufen und habe mich gegen die Hauswand gestellt. Der junge Polizist, der auf mich zukam und mir heftig vor das Schienbein trat, war dann als nächster dran, und seinen beiden Kollegen ging es nicht besser, alle drei bezogen ihre Prügel.

Das war eigentlich für meine Person ein Ding der Unmöglichkeit, aber durch den Alkohol, den ich getrunken hatte – ich war nur angetrunken –, ist bei mir irgendwo eine Sicherung durchgebrannt, und dann hat's gekracht.

Die Folge davon: drei Monate Gefängnis und 210 DM Geldstrafe wegen Widerstandes gegen die Staatsgewalt und Körperverletzung.

Eines Tages, als meine Mutter mal wieder geheiratet hatte und ich vorübergehend bei ihr in Ronsdorf wohnte, traf ich auf der Straße einen Staubsaugervertreter, der mir von früher bekannt war.

Er begrüßte mich und fragte: »Wie geht es dir, Willy?«

Ich antwortete: »Mir geht es schlecht; ich bin beleidigt, weil ich den Kanal noch nicht richtig voll habe.«

Dieser Mann lud mich dann zu sich nach Hause ein, um mir einen auszugeben. Ich rechnete natürlich mit einer zünftigen Sauferei und war völlig verwirrt, als ich mich wenige Minuten später an einem sauber gedeckten Kaffeetisch wiederfand. Nach dem Kaffeetrinken legte mir der Vertreter einen Stapel »Rettungen« vom Blauen Kreuz unter die Nase. Ich war völlig von den Socken und wurde zudem noch zu der Männerstunde des Blauen Kreuzes eingeladen.

Nach dem ersten Besuch der Männerstunde war ich sogar bereit, die Verpflichtung zu unterschreiben, ein Jahr lang keinen Alkohol zu trinken. Nach sechs Wochen fühlte ich mich schon so stark, daß ich glaubte, einen Trinker aus der Wirtschaft herausholen zu können. Dieser Mann verstand es allerdings hervorragend, mich in der Kneipe festzuhalten und mich am Biertisch festzunageln. Somit war der erste Rückfall geschehen.

Als ich dann mal wieder in den Männerkreis ging, sagte man mir, daß ich mit Jesus Christus klare Sache machen müßte, wenn ich nicht vor die Hunde gehen wollte. Ich sollte einfach einmal beten, auch wenn es mir sehr dumm vorkommen würde. »Nun«, dachte ich, »versuchen kannst du es ja einmal, es kostet ja nichts.«

Als ich dann abends zu Bett ging, wollte ich beten. Ich begann mit den Worten »Lieber Herr Jesus . . .«, aber weiter kam ich nicht, denn ich sah plötzlich entsetzliche Fratzen vor meinen Augen. Ich sprang aus dem Bett und lief zu meinem Hausarzt in der Befürchtung, daß ich mich in einem Delirium befände. Doch der Arzt riet mir, einen Seelsorger aufzusuchen.

Beim nächsten Männerabend wurde ich natürlich gefragt, ob ich gebetet hätte. »Ich bete nicht mehr«, sagte ich, denn die Angst davor überwältigte mich. »Dann werde ich mit dir beten«, sagte ein Blaukreuzler. Obwohl ich mich mit Händen und Füßen wehrte, blieb er unerbittlich. Wir gingen in ein Nebenzimmer, und dort betete der Bruder für mich. Ich kann kaum beschreiben, was sich dabei in meinem Inneren abspielte, ich hatte das Gefühl, daß jeden Augenblick eine Explosion in mir geschehen müsse.

Wenn ich nach diesem Gebet auch ruhiger wurde, so wurde ich doch bald wieder rückfällig. Die Blaukreuzler rieten mir nun dringend, eine Heilstätte aufzusuchen. Nachdem ich mich lange dagegen gewehrt hatte, machte ich in der Heilstätte »Siloah« in Lintorf bei Düsseldorf, eine halbjährige Kur.

Nach sechs Monaten kam ich als »geheilt entlassen« wieder zu meiner Mutter. Sie stellte mich in ihrem Laden an, in dem auch Spirituosen verkauft wurden. Sechs Wochen lang ging alles gut, bis ein Vertreter mir ein kleines Fläschchen Schnaps in die Tasche schob. Mit gemischten Gefühlen nahm ich das Geschenk an und leerte die kleine Flasche. Damit waren alle guten Vorsätze vergessen.

Wenn meine Mutter dann um acht Uhr dreißig im Geschäft erschien, hatte ich schon eine Flasche Schnaps geleert, denn ich mußte schon um sechs Uhr die Zeitungen auslegen und die ersten Kunden bedienen. Eine Zeitlang entdeckte meine Mutter die Lücken in den Flaschenreihen nicht, aber als ich immer mehr trank, wurde ich so auffällig, daß mich meine Mutter aus dem Laden warf.

So stand ich wieder auf der Straße. Bei Alfred, dem Blaukreuzler, fand ich bis zur nächsten Kur ein Zuhause.

Die nächste Kur fand in der Haslachmühle statt. Die ersten vier Wochen überstand ich recht gut. Danach machte ich mit einem Patienten einen Spaziergang. Wir kamen an einem großen Bauernhof vorbei. Dort bot man uns Most an. Meiner Erinnerung nach war Most ein alkoholfreies Getränk, und so nahmen wir dankend das Angebot an. Der Most schmeckte ausgezeichnet, und erst nachdem ich einen Liter davon getrunken hatte und an die frische Luft kam, merkte ich, daß dieses heimtükkische Getränk Alkohol enthielt. Angetrunken machten wir uns auf den Heimweg. Unglücklicherweise fing mein Mitpatient auch noch an zu singen, so daß wir im Heim auffielen und am nächsten Morgen unsere Koffer packen mußten. Allerdings bekam ich nach einigen Wochen von Dr. Rieth, dem Leiter der Haslachmühle, einen Brief, in dem er mir anbot, die Kur fortzusetzen. So durfte ich dort sechs Monate bleiben. In dieser Zeit konnte ich manches lernen. Dr. Rieth hat mir als entschiedener Christ sehr geholfen. Am Ende der Kur holte mich Alfred ab und nahm mich wieder in seine Familie auf.

Vier Monate ging es gut, aber dann zog es mich wieder in die Wirtschaften. Ich wollte leben, tanzen, Mädchen kennenlernen und so weiter. In einem Tanzlokal lernte ich auch sofort ein Mädchen kennen. Ich bestellte ihr ein Glas Wein, mir selbst aber eine Cola. Doch da protestierte sie und bat mich, doch auch ein Glas Wein zu trinken. So kam, was kommen mußte. Ich fürchtete die Blamage und wagte nicht zu bekennen, daß ich Alkoholiker war – und der nächste Rückfall war da.

In den folgenden Tagen betrank ich mich bis zur Besinnungslosigkeit. Nachdem ich einige Tage und Nächte im Alkoholrausch verbracht hatte, ging ich einige Zeit arbeiten. Doch überall entstanden Schwierigkeiten, weil ich wie besessen auf Alkohol war.

Um endlich frei zu werden, entschied ich mich, meinen

Urlaub in der Haslachmühle zu verbringen. Jedoch am Zielbahnhof angekommen, war ich schon wieder betrunken und wagte nicht, die Heilstätte zu betreten. So ging ich in ein Hotel und nahm erst einmal ein Bad. Stunden später wurde ich in der Badewanne von einem Klempner geweckt. Ich war eingeschlafen, und die Hotelleitung hatte die Tür aufbrechen lassen, weil sie Schlimmes befürchtet hatten. Beinahe wäre ich also im eigenen Badewasser ertrunken.

Nach diesem Schreck suchte ich eine Bar auf und lebte einige Tage mit einer Bardame zusammen, bis mein Urlaub dem Ende entgegenging. Als ich in den letzten Tagen in Ravensburg in einem Lokal saß, stand plötzlich Dr. Rieth vor mir. Ich schämte mich fast zu Tode, folgte aber Dr. Rieth zur Heilstätte. Ich werde nie das grölende Gelächter der Patienten vergessen, mit dem ich dort empfangen wurde. Mit einem Schlag war die ganze Lebensangst und Hoffnungslosigkeit wieder da.

Nach wenigen Tagen kam ich, von fürchterlichen Entzugserscheinungen geplagt, hilflos und geschlagen zu Hause an. Auch dieses Mal nahm mich Familie Alfred Topf wieder auf. Sie erbarmten sich über mich, obwohl ich sie so oft enttäuscht hatte. Ihr Christsein hat mich immer tief beschämt und mir meine Verlorenheit deutlich gemacht. Sie und viele Blaukreuzler kümmerten sich selbstlos um mich.

Wie gut es mir tat, trotz meiner Schuld von diesen Christen geliebt zu sein, kann man nicht erklären, sondern nur empfinden.

Aber die Sucht war stärker. Mein Körper verlangte nach Alkohol, ich bekam Schweißausbrüche, Angstzustände und begann so sehr zu zittern, daß Bett und Schrank wackelten, wenn ich morgens aufstand. Erst wenn ich die Schnapsflasche am Mund hatte, hörte das Zittern auf. So kam es, daß ich schon eine Flasche Alkohol getrunken hatte, wenn ich am Arbeitsplatz erschien. Dort hatte ich eine Flasche im Kleiderschrank und eine Flasche im Werkzeugschrank am Arbeitsplatz stehen. Auf diese Weise konnte ich mich noch einige Monate durchschlagen.

Doch eines Abends, ich war nur ein wenig angetrunken, kam mir der Gedanke: »Mach Schluß, es hat doch keinen Sinn mehr.« Ich war derart verzweifelt und leer, daß mir der Tod als ein Geschenk vorkam. Ich lief die ganze Nacht durch Wuppertal und faßte den Entschluß, mir das Leben zu nehmen. Um sicher zu gehen und nicht als Krüppel weiter zu leben, suchte ich eine Brücke in der Nähe des Elberfelder Hauptbahnhofes auf, unter welcher die Züge herfuhren. Dort wollte ich hinunterspringen, um dann von einem Zug überfahren zu werden.

Ich schaute mich noch einmal um, kein Mensch war zu sehen. Aus der Richtung Köln sah ich den Zug kommen. Als er nahe genug war, wollte ich gerade auf das Geländer klettern, um hinunterzuspringen, als mir plötzlich jemand auf die Schulter klopfte. Erschrocken drehte ich mich um und sah einem Mann ins Gesicht, der für seine Zigarette Feuer haben wollte.

Der Mann ging weiter, der Zug war weg, und eigenartiger Weise war ich jetzt nicht mehr in der Lage, hinunterzuspringen. Diese geistige Leere, der Zustand der totalen Gleichgültigkeit war auf einmal verschwunden. Was blieb, war die Sucht nach Alkohol.

Ich geriet nun in einen depressiven Zustand, war wie abwesend und nicht mehr ansprechbar. Meine Bekannten schüttelten nur noch den Kopf, wenn sie mich sahen.

Nach einigen Wochen war es dann wieder so weit, daß ich endgültig Schluß machen wollte. Diesmal wollte ich nicht daran gehindert werden. Ich schloß mich in mein Dachzimmer ein und warf den Schlüssel unter mein Bett. Dann knüpfte ich zwei Krawatten zusammen, machte eine Schlinge daraus, prüfte sie auf ihre Festigkeit, stieg auf einen Stuhl und befestigte die Schlinge an einem Balken. Dann steckte ich meinen Kopf durch die Schlinge und sah noch einmal durch das Dachfenster nach draußen. Nun war es so weit. Doch als ich mit meinen Füßen den Stuhl unter mir wegstoßen wollte, schoß mir der Gedanke durch den Kopf: »Jesus, wenn das wahr ist, daß Du lebst, dann hilf mir jetzt!«

Wie ich aus der Schlinge herausgekommen bin, weiß ich nicht mehr. Ich kann mich nur noch erinnern, wie ich unter das Bett kroch und nach dem Schlüssel suchte und dann die Türe aufschloß und nach draußen lief. Als ich dann an einer Wirtschaft vorbeikam und der Biergeruch in meine Nase stieg und die ganze Macht der Sucht in mir hoch kam, habe ich laut gerufen: »Jesus, Du hast mir den Kopf aus der Schlinge gedrückt, jetzt mußt Du mich auch an den Kneipen vorbeibringen.« Und dann bin ich im Dauerlauf an den Kneipen vorbeigerast und bis nach Oberbarmen zu einem Blaukreuzler gelaufen. Als dieser Mann mir die Türe öffnete, erschrak er. Ich muß wohl einen entsetzlichen Gesichtsausdruck gehabt haben. Total erschöpft habe ich dort erst einmal lange geschlafen.

Von diesem Tag an habe ich keinen Alkohol mehr getrunken. Mir wurde klar, daß Jesus Christus mich gerettet hat und daß Er eine absolute Realität ist.

Mein Leben wurde mit einem Schlag anders, ja ich begann zu leben, ein Jubelschrei der Freude überkam mich: »Jesus lebt, Jesus lebt!« Ich hatte keine Angst mehr, ich wußte nun, Jesus Christus ist am Kreuz auch für mich gestorben, ist dort auch für meine Sünden und meine Sucht gerichtet worden und hat den Preis für meine Erlösung bezahlt.

Nach meiner Umkehr habe ich noch manch harte Stunden erleben müssen. Die Entzugserscheinungen waren oft grausam. Ich erinnere mich noch gut, wie ich durch Oberbarmen ging und auf einmal das Zittern wieder anfing. Meine Zunge klebte an meinem Gaumen, der Schweiß brach aus und mir wurde schwarz vor Augen. In diesem Augenblick habe ich mich mit letzter Kraft an einer Säule festgehalten und betete: »Herr Jesus, lieber will ich hier sterben, als noch einmal rückfällig zu werden. Hol mich lieber zu Dir, als daß ich wieder anfange zu trinken.«

Nach diesem Notschrei zum Himmel verlor ich die Besinnung und fiel zur Erde. Als ich wieder zu mir kam, standen viele Leute um mich herum. Sie halfen mir wieder auf die Beine, und nach kurzer Zeit konnte ich langsam weitergehen.

Siebzehn Jahre sind seitdem vergangen. Im Blauen Kreuz habe ich Trinkerrettungsarbeit und neun Jahre Jugendarbeit machen dürfen. Bis heute darf ich meinem Herrn dienen: Gerettet sein bringt Rettersinn.

Die Bibel ist mir zum kostbarsten Schatz meines Lebens geworden.

Jesus Christus hat mir, dem einst hoffnungslosen Säufer, eine liebe, gläubige Frau und eine liebe Tochter geschenkt. Er, der Sohn des lebendigen Gottes, der eine knallharte Realität ist, hat bis heute mein Leben getragen. Nicht eine Sekunde meines Lebens möchte ich ohne

Jesus Christus sein. Ich möchte schließen mit einem Bibelvers und Mut machen, diesem wunderbaren Erretter, für den es keine hoffnungslosen Fälle gibt, zu vertrauen:

»Denn ich schäme mich des Evangeliums nicht, ist es doch eine Gotteskraft, die jedem, der da glaubt, die Errettung bringt« (Röm. 1, 16–17).

Udo Versteegen

# »Haschen« . . . nach Wind

In meiner Jugend habe ich im Elternhaus durch das, was ich hörte und sah, wie meine Eltern zueinander und zu meinem jüngeren Bruder und mir standen, nie eine Antwort auf den Sinn des Lebens erhalten.

So machte ich mich selbst auf die Suche danach und trieb mich da herum, wo die meisten jungen Menschen eine Antwort suchen: in Diskotheken usw.

Nach meiner Lehre als Friseur wollte ich mit einem alten Bekannten einen eigenen Friseursalon im Boutiquenstil (mit Musik, einem Drink, Cola und anderem Service) eröffnen. Die Finanzierung wollte mein Bekannter übernehmen. Da ich mich aber als Geselle in meinem Beruf nicht selbständig machen konnte und mir meine Eltern ihren Titel und Namen als Friseurmeister verweigerten, weil sie Furcht um ihren guten Ruf hatten, gab ich mein Vorhaben und gleichzeitig auch meinen Beruf auf.

Von nun an ging es bergab. Die Frage nach dem Sinn des Lebens trat wieder in den Vordergrund, und ich suchte nun in der marxistischen Ideologie eine Antwort. Fabrikarbeit lag mir nicht, und ich meinte außerdem, daß die Gesellschaft erst einmal verändert werden müsse. Bessere Arbeitsbedingungen waren auch dringend nötig, und so folgten Proteste, Demonstrationen, Phrasen.

Aber mit der Zeit lernte ich die Genossen etwas besser kennen und konnte hinter die Kulissen sehen. Hätte einer von ihnen die Gelegenheit bekommen, Mercedes zu fahren, ein Haus auf den Bermudas oder eine dufte Frau zu besitzen – ein jeder von ihnen wäre »ausgestiegen«. Als ich das durchschaute, »stieg« ich auch wieder aus.

Die Sinnfrage des Lebens blieb ungelöst, und ich versuchte es nun mit unregelmäßiger Arbeit, beschäftigte mich mit Gassenphilosophie, trank Bier und war jeden Abend leicht angetrunken.

Aber dann erfaßte die erste Drogenwelle Deutschland, und ich rauchte zum ersten Mal Haschisch. Nun glaubte ich gefunden zu haben, wonach ich suchte. Ich wurde friedlicher, dachte an Flower Power und stellte mir ein jointrauchende Welt vor, in der alles klappte.

Keep smiling.

Hatte ich ein Problem oder Fragen, nahm ich einen Joint.

Wir wollten damals weitergeben, was wir erlebten, wollten die Welt missionieren und den Kaputten den Haschfrieden bringen. Man genoß einen irrealen Scheinfrieden innerhalb einer Gesellschaft Gleichgesinnter, die den Haschfrieden zum Symbol Nr. 1 gemacht hatten.

Jeder, der diesen Frieden nicht kannte und ihm ablehnend gegenüberstand, wurde mild lächelnd verachtet, als rückständig, weltfremd und spießig betrachtet.

Ich entwickelte eine feindliche Einstellung jedem gegenüber, der unsere »Brüder und Schwestern« verurteilte, ohne selbst zu probieren. Die Polizei wurde mein ärgster Feind.

In dieser einseitigen Einstellung zur Welt und zu meinen Mitmenschen lebte ich. Was ich hier darstelle, ist die reale Sicht eines Rauchenden. Ich war daher auch taub für Ermahnungen und Belehrungen. Jedes aufkommende Problem wurde mit Haschisch bewältigt, so daß sich alles in Rauch auflöste.

Die nun folgende Dealerkarriere und den Drogenhandel im In- und Ausland zu beschreiben, würde zu viele Seiten füllen. Fragen aus diesem Bereich kann man besser in einem mündlichen Gespräch klären, und Kriminalromane zu schreiben, überlasse ich lieber anderen.

## Wie Jesus Christus mich fand und führte

Ich saß zum zweitenmal im Gefängnis, als Er mir zum erstenmal begegnete. In Frankreich hatte ich schon sechs Monate abgesessen, und meine jetzige Strafe sollte 5 ½ Monate betragen. Man hatte mich beim »dealen« erwischt, denn das war seit einigen Jahren meine »Arbeit«, mit der ich meinen eigenen Bedarf an Rauschgift und meinen sonstigen Lebensunterhalt finanzierte. Damals waren es etwa fünf Jahre her, seitdem ich »ausgestiegen« war. Ich hatte keine Antwort auf meine Fragen nach Wahrheit, Gerechtigkeit, Freiheit, nach dem Woher und Wohin des Menschen bekommen, und es schien mir angenehmer, den Rausch durch die Droge zu wählen, als die Hoffnungslosigkeit dieser Plastikgesellschaft ohne absolute Inhalte nüchtern ertragen zu müssen. Also, ich saß im Gefängnis, und in meiner Einsamkeit und Not betete ich zum »lieben Gott«.

Ich wollte Gott gerade – in Ehrfurcht gesagt – ein Geschäftchen vorschlagen, als ich in meinem Inneren merkte, daß ich hier nicht mit trügerischen Gewichten kommen konnte. Hier konnte ich keine 90 für 100 Gramm verkaufen. Es ging um ganze Sachen.

Dazu stellte ich fest, daß Gott mir nicht viel mehr wert war als ein Schuhanzieher. Ich hatte Gott nicht mehr zu sagen, außer, daß ich mich schämte, Ihn nur dann anzurufen, wenn ich in Not war. Ich bat Ihn, mir hier herauszuhelfen, und versprach Ihm, kein Rauschgift mehr zu nehmen, sondern Ihm allein zu dienen.

Es war mir wirklich ernst mit diesem Gebet. Gott schenkte mir eine wunderbare Ruhe. Aber wie noch so manches Mal später, stellte Er mein Versprechen nach wenigen Tagen auf die Probe. Es war nach dem morgendlichen Rundgang im Gefängnishof, als mir ein bis dahin unbekannter Typ im Lauf der Unterhaltung Haschisch anbot. In mir tobte ein Kampf, aber mit dem Gedanken: »Naja, einmal noch«, griff ich zu.

In der Zelle rauchte ich mit dem Ergebnis, daß mich eine unheimliche Angst überfiel. Es war das erste Mal, daß ich so negativ »anturnte«. Meine Angst steigerte sich noch, weil ich plötzlich wußte: Wenn du jetzt stirbst, stehst du mit einem gebrochenen Versprechen vor Gott.

In dieser Verzweiflung griff ich zum Neuen Testament und erwartete, daß Gott durch die blind aufgeschlagene Stelle zu mir reden würde. Ich schlug Apostelgeschichte 5 auf und las die Lüge des Ananias und der Saphira und wurde vollkommen überführt von der Tatsache, daß vor Gott nichts verborgen ist.

Schlagartig war mir klar, daß ich Gott belogen hatte, und sah mein verdientes Ende kommen. Aber ein bißchen Hoffnung auf Gnade kam trotzdem in mir auf, und bald stellte ich beim Lesen des Neuen Testamentes fest, daß dieses Wort »Gnade« oft in Verbindung mit der Person Jesus Christus genannt wurde.

Einige Wochen später schrieb ich dann einfältig auf die letzte Seite des Neuen Testamentes: »Ich habe Jesus Christus heute als meinen persönlichen Heiland angenommen.«

Ich unterschrieb mit »Udo«. Allerdings hatte ich keine

Ahnung, was das letzten Endes bedeuten sollte. Ich wollte nur einfach dokumentieren, daß es mir ernst war mit Gott und auch mit Jesus.

Nachdem ich entlassen war, wollte ich jedem von der Existenz Gottes erzählen und von meinen Erlebnissen berichten. Ja, ich suchte unter meinen ehemaligen Freunden solche, die bereit waren, mit mir Gott zu dienen.

Ich fand niemand, oder besser: alle fanden, daß ich im Knast ein wenig abgefahren sei oder durchgedreht habe. So stand ich nun mit meinen Vorsätzen, »Gott zu dienen,« allein, ohne zu wissen, wie ich Gott dienen konnte, denn die Begriffe »Kirche« und »Gottesdienst« sagten mir nichts.

Ich hatte keinen gefunden, der mich ernst nahm. Als ich mir nun den Kopf über diese Entartung des Christentums zerbrach, wußte selbst meine Bewährungshelferin keinen anderen Rat zu geben, als daß ich mein Brot im Schweiße meines Angesichtes verdienen sollte. Aber das schien mir doch wohl das allerletzte zu sein.

Nach Wochen mühsamen Widerstandes gegen Drogenangebote ehemaliger Freunde gab ich nach. Ich rauchte wieder und schwächte mein Bekenntnis durch Drogen aller Art. Trotzdem hielt ich bei den üblichen Gesprächen über Gott, die Welt, Gesellschaft oder Religion an Jesus fest. Er war für mich immer noch der Größte.

Ein halbes Jahr später traf ich – wir lebten damals in einer Wohngemeinschaft zusammen – junge Leute, die in Eininghausen bei Lübbecke einen Bauernhof bewohnten. Sie glaubten alle an Jesus Christus, aber ich hielt sie für ausgeflippt, denn das, was sie sagten, war mir bei aller Hochachtung vor Jesus zuviel. Sie sagten, daß sie ewiges

Leben hätten, daß Jesus mich liebte und meine Schuld vergeben würde. Ja, ihr ganzer Tag war ein Gesang, ein Gespräch über Jesus, ohne daß man ihnen Lüge oder Heuchelei unterstellen konnte.

Nach fünf Besuchen dort, die mich – ohne daß ich das begründen konnte – anzogen und gleichzeitig abstießen, fragte ich einen der Typen, woher er seine Überzeugung hätte und wie man daran komme. Wir waren zu dritt aus der Wohngemeinschaft dort und merkten, daß es nun um etwas Endgültiges, um einen Ent-Schluß ging.

Wir gingen nun in ein anderes Zimmer, und dann erzählte er uns, daß er während einer Evangelisation, die er mit einigen Freunden besucht hatte, um dort Blödsinn zu machen, zur Erkenntnis seiner Schuld vor Gott gekommen sei. Unter der Predigt des Wortes seien ihm die Augen für den Retter Jesus Christus, den gekreuzigten Heiland, aufgegangen. Am Ende dieser Veranstaltung haben sie dann ihr Leben den Händen des Auferstandenen übergeben.

Nach diesem Zeugnis forderte uns der junge Mann auf: »Kommt, laßt uns beten!«

Wir beteten alle nacheinander. Das Wort Jesu: »Ich bin der Weg, die Wahrheit und das Leben; niemand kommt zum Vater als nur durch Mich«, stand vor mir, und ich betete: »Jesus, ich brauche Dich!« Ich konnte nicht mehr sagen, aber an diesen Worten hing meine ganze Existenz.

Eine nie gekannte Freude, Frieden und Gewißheit füllten mein Herz. Nun wußte ich, daß Er lebt, und daß es wahr ist, was die Bibel von Ihm sagt.

Nachdem wir alle gebetet hatten, sahen wir uns an, und es kam mir vor, als wäre alles Finstere, alles Mißtrauen, alles Feindselige gewichen. Wir umarmten uns, und es war uns, als wäre die Sonne in unserem Leben strahlend aufgegangen. Mir fällt es schwer, diese Minuten zu beschreiben.

Gegen Abend fuhren Gerd, Lothar und ich zurück nach Brackwede und verkündigten, was der Herr an uns getan hatte. Mein Bruder, seine jetzige Frau und zwei andere Freunde wohnten noch mit uns zusammen. In unserer überschäumenden Begeisterung erzählten wir ihnen, was wir erlebt hatten, und forderten sie auf, auch diesen Schritt zu tun. Jedoch fanden wir bei ihnen kein Gehör, sondern die Ablehnung war so stark, daß wir uns trennen mußten.

Wenn ich heute auf diese Zeit zurückblicke, muß ich sagen, daß unser Glaube und Christsein noch sehr unreif und unnüchtern war. Wir wurden mehr von unseren Gefühlen, unserem Gewissen und den Erfahrungen anderer geleitet, als durch das Wort Gottes. Dennoch hat Gott sich in Seiner Gnade herabgelassen, uns auch auf diesem Niveau zu begegnen und uns zu führen, denn wir wollten Ihm wirklich von ganzem Herzen folgen, Ihm, der sich uns als der Sohn Gottes bezeugt hatte.

Wir zogen damals aufs Land, nach Gestringen. Dort hatte Fiete, den wir in Eininghausen kennenlernten, ein kleines Bauernhaus gemietet. Wir zogen gemeinsam dort ein, um von nun an nur noch für Jesus zu leben. Das Haus sollte ein Gotteshaus werden.

Wir wußten nicht, wie wir die Miete zahlen sollten, und woher wir Nahrung und Bekleidung bekommen würden. Wir zogen dort mit der Gewißheit ein, daß der Herr für die Seinen sorgen würde.

Rückblickend kann ich bezeugen, daß wir tatsächlich keinen Mangel hatten. Wir beteten und dankten immer im voraus für das tägliche Essen, und Gott hat uns so viel gegeben, daß wir nicht hungern mußten.

Von einem Bauern aus der Nachbarschaft durften wir uns Milch und Kartoffeln holen, soviel wir brauchten. Dafür halfen wir ihm bei der Ernte.

Es gab allerdings auch Tage, an denen es knapper zuging und wir eine Woche lang morgens, mittags und abends nichts anderes als Bohnen zum Essen hatten.

Ein anderes Mal waren nicht einmal mehr Bohnen vorhanden, und wir wurden zum Fasten gezwungen. Als es auf den Abend zuging und unser Magen knurrte, lasen wir im Neuen Testament die Begebenheit, wie Jesus mit Seinen Jüngern durch die Felder ging und sie Ähren abpflückten und aßen. Wir sahen das als eine Ermunterung, es ebenso zu tun, und machten uns in unserer Einfalt auf den Weg, um nach Kartoffeln und etwas Gemüse zu suchen.

An einem Nachmittag waren wir auf dem Weg nach Eininghausen, als auf der halben Strecke, direkt vor einer Tankstelle, unser Auto stehenblieb. Der Tank war leer und unser Geldbeutel auch. Wir beteten, daß der Herr uns doch jemanden vorbeischicken möchte, der uns weiterhelfen könnte.

Da kreuzte Ed unseren Weg. Ich sah, daß er ein Paket Tabak hatte.

»Hast du etwas Tabak für mich, damit ich mir eine Zigarette drehen kann?«

Er gab mir etwas und, während ich mir eine Zigarette drehte, fragte ich weiter: »Kennst du Jesus?«

»Nein.«

»Welchen Weg gehst du?«

»Von hier nach dort.« Nach diesem kurzen Gespräch

gab Ed uns sein letztes Geld, 1,83 DM, damit wir etwas tanken konnten. Ich schrieb ihm unsere Adresse auf und darunter meinen Lieblingsvers Johannes 14, 6 mit den Worten: »Komm mal vorbei!«

Einige Tage später, als wir mit der Renovierung des Hauses beginnen wollten, kam Ed zu uns. Er teilte seine Arbeitslosenunterstützung mit uns, so daß wir Material für die Renovierung und auch Nahrungsmittel kaufen konnten. In der Nacht vom 22. auf den 23. Juli übergab Ed sein Leben dem Herrn Jesus. Ich weiß das noch so genau, weil ich mir Ed als Bruder zum Geburtstagsgeschenk erbeten hatte.

Bei aller Frömmigkeit rauchten wir weiterhin Haschisch. Wir kamen ja alle außer Gerd aus der Drogenszene und sahen darin keine Sünde. Wir begründeten das mit der Tatsache, daß Gott dieses Kraut schließlich wachsen ließe und deswegen daran wohl nichts Schlimmes sein könne.

Allerdings rauchten wir nicht mehr so wie vor der Bekehrung und auch nur dann, wenn man zu uns kam und uns zu einem Joint einlud. Außerdem hatten wir ausgemacht, dabei über nichts anderes als über Jesus zu sprechen.

Es kam aber auch der Tag, an dem unser Herr uns klarmachte, was Haschisch wirklich ist.

Wir hatten nun das Haus so ziemlich fertiggestellt. Aus ehemaligen Schweineställen, Taubenschlägen usw. wurden Schlafzimmer; die Diele wurde als Wohnraum ausgebaut, und wir warcn dabei, aus dem Fachwerk in der Mitte der Diele ein Kreuz zu bilden, auf dem in Gelb stehen sollte: »Jesus lebt!«

Nun kamen am frühen Morgen drei Brüder aus Düsseldorf zu Besuch, die etwas zu essen mitbrachten und auch etwas Haschisch. Tagsüber dachten wir nicht daran. Wir hatten alle viel Freude bei der Arbeit und ermunterten uns mit Worten aus der Bibel. Es war eine wundervolle Gemeinschaft.

Nach dem Abendessen machte jemand den Vorschlag, doch einen Joint zu rauchen. Gesagt, getan.

Bisher hatten wir gemeinsam nur gute Erfahrungen mit Hasch gemacht. Es ging dann sehr lustig bei uns zu. Jedoch dieses Mal überfiel uns ein eiskaltes Schweigen. Die frohe Gemeinschaft war plötzlich unterbrochen. Alles Schöne des vergangenen Tages wurde plötzlich in Zweifel gezogen.

Ich saß dem Kreuz gegenüber, auf dem stehen sollte: »Jesus lebt!« Das war eine Anklage für mich.

Einer der Brüder stand plötzlich auf und ging durch die Diele. Er hatte ein kleines Plakat in der Hand, auf dem stand: »Wo der Geist des Herrn ist, da ist Freiheit.« Auch diese Worte ohrfeigten mich, denn von der herrlichen Freiheit, die uns den ganzen Tag begleitet hatte, war nichts mehr geblieben.

Dann legte jemand eine LP auf mit dem Titel: »All you need is love.« Dieser Text machte mir bewußt, daß nur die Liebe Gottes die einzige Realität und Kraft ist, die fähig macht, einander zu lieben. Haschisch kann weder die Liebe Gottes mehren noch steigern und kann auch kein Ersatz dafür sein. Nun wußte ich, was Haschisch ist. Ein anderes Wort dafür ist »Shit«. Mehr ist Haschisch nicht.

Ich bat den Herrn, nicht mehr rauchen zu müssen, weil ich nicht mehr rauchen wollte.

Wir haben unserem Herrn viel Mühe gemacht. Wir lernten nur so langsam, weil wir uns immer noch mehr von unseren Gefühlen und Erfahrungen leiten ließen. Von den Zusammenhängen und Lehren des Neuen Testamentes hatten wir keine Ahnung. Wir wandten jeden Vers, den wir lasen, nach Gutdünken auf unser Leben an.

Nun hatten wir die Gewohnheit, vor dem Essen eine Gebetsgemeinschaft zu halten. Eines Tages war es wieder einmal so weit, und ich betete etwa so: »Jesus, hab Dank für das Essen, hab Dank für die Freude, hab Dank, daß Du lebst. Jesus, zeige uns doch, wie wir einander mehr lieben können. Zeige dem Daniel dies und das (daß noch gespült werden muß usw.) . . .« Es folgten jetzt Ermahnungen, denn auf diese Weise sagten wir uns oft Dinge, die wir uns im Gespräch nicht sagen konnten, ohne den anderen zu verletzen.

Außerdem hatten so die Worte viel mehr Nachdruck. Wer zuerst betete – besonders demütig – war immer fein raus.

Wie der Herr uns geduldig ertrug und anleitete, uns selbst und Ihn besser zu verstehen, zeigt folgende Begebenheit:

Eines Nachmittags saß ich vor dem Haus, las in der Bibel und dachte über Lukas 14, 7–19 nach. Plötzlich erkannte ich mich als derjenige, der immer seine Ehre suchte, der gern der Erste sein wollte und nicht merkte, wie mich der Hausherr auf den letzten Platz verwies. Plötzlich stand vor mir die Frage: »Sitzt du überhaupt an diesem Tisch?« Eine furchtbare Angst überfiel mich, ich weinte und betete zum Herrn, daß ich doch wenigstens an der Schwelle Seines Hauses bleiben dürfe, um da zu sein, wo Er ist. Erst als mein Gefühl mir sagte, daß alles in Ordnung war, konnte ich wieder danken und ruhig werden.

Eine auf das Wort Gottes gegründete Gewißheit kannten wir damals nicht. Das einzige, was wir außer der Bibel lasen, war Lektüre aus der charismatischen Bewegung: »Das Kreuz und die Messerhelden«, »Die geistlichen Gaben«, »Der Agent Satans« usw.

Ein neuer Abschnitt unseres geistlichen Lebens wurde durch einen Besuch der Eininghäuser Brüder eingeleitet. Sie kamen und sagten, daß sie einen Abend vorher den Heiligen Geist und als Resultat die Zungenrede bekommen hätten. Sie wiesen dann auf Apostelgeschichte 2, die Geschichte der Ausgießung des Heiligen Geistes hin.

Zwar hatten wir bisher immer geglaubt, daß wir bei der Bekehrung den Heiligen Geist empfangen hätten, aber schließlich war man sich ja nie so ganz sicher.

Die Brüder sprachen uns also den Heiligen Geist ab. Und auf mein Fragen erzählte Michael, wie er die Gabe der Zungenrede erhalten hatte. Nun, er erzählte dann, daß sie einige Schriften gelesen hatten und Gott aufgrund der Stelle in Lukas 11, 13 so lange um den Heiligen Geist gebeten haben, bis Er endlich ihre Bitte erhört und sie dann in Zungen geredet haben. Zungenrede wäre wie eine Kindersprache, unverständliche Laute, die dann auch Worte und Sätze in einer Sprache bilden, die man selbst nicht versteht.

Ich war völlig verwirrt, glaubte ihnen aber; wir beteten noch zusammen, und so hörte ich zum erstenmal ihr Zungenreden. Es kam mir etwas seltsam vor, aber ich hatte auch einmal die Pfingstgeschichte gelesen und dachte, so ist es damals wohl auch gewesen.

Nachdem die Brüder sich verabschiedet hatten, wollte ich auch unbedingt diese Erfahrung machen. Ich ging allein in ein Nebenzimmer. Ich bekannte Gott erst einmal alle Sünden der Vergangenheit, an die ich mich erinnern konnte. Bei diesem Bekenntnis wurde mir eigentlich zum erstenmal deutlich, wie unendlich viele Sünden ich aufgehäuft hatte, immer mehr fielen mir ein. Nachdem ich alles bekannt hatte, war ich recht froh. Ein tiefer Friede erfüllte mich. Aber, so dachte ich, der Heilige Geist fehlt wohl noch, und so bat ich den Vater immer wieder, etwa so: »Vater, gib mir doch bitte den Heiligen Geist. Du hast es doch gesagt, daß Du es tun würdest, wenn Dich jemand darum bittet.« Aber es passierte nichts, und so betete ich weiter.

Ich erinnerte mich, daß die Brüder gesagt hatten, man solle solange bitten, bis der Vater Ihn dann geben werde. Zuletzt, etwa nach zwei Stunden, betete ich nur noch unzusammenhängende Worte, mit der sich immer wiederholenden Bitte, ja, mit der Forderung, den Heiligen Geist nun endlich zu geben.

Plötzlich geschah es. Eine unvorstellbare Freude durchströmte mich. Ich war total beteiligt, meine Gefühle waren ganz erfaßt. Mir fällt es schwer, sie zu beschreiben. Ich begann in unartikulierten Lauten zu singen, ich dankte, weinte, lachte, sagte: »Danke, Vater, danke«, sprang auf, rannte aus dem Zimmer mit den Worten: »Ich hab's, ich hab's!« Ede und Daniel starrten mich entgeistert an. Noch einmal rief ich: »Ich hab's empfangen!«, aber im nächsten Augenblick schlug mein Gewissen, und ich wurde mir meines Hochmuts bewußt. Von der überschwenglichen Freude fiel ich in einen Keller bitterer Selbstvorwürfe, daß ich mich für ein Geschenk rühmen konnte.

Gerd hatte in derselben Zeit die gleichen Erfahrungen gemacht, auch er sprach in Zungen, während die anderen im Haus skeptisch waren oder sich der Zungengabe nicht würdig fühlten.

Aus der Furcht heraus, ein schlechter, minderwertiger Christ zu sein, wurde das Zungenreden von einigen nachgeahmt. Echtes Christsein hing nun bei uns davon ab, ob man diese Erfahrung gemacht hatte oder nicht. Diese Erfahrung zu predigen, sahen wir nun als unseren wichtigsten Auftrag an.

Die nächste Station unserer Irrwege begann damit, daß die Eininghäuser ein Buch über Gemeindeleben gelesen hatten und es auf ihre Weise zu praktizieren suchten. In Eininghausen wurden nun Michael, Heinz und Armin als Apostel gewählt, die nun in aller Demut, aber auch Bestimmtheit die Autorität eines Apostels beanspruchten. Sie besuchten uns und forderten uns auf, in Gestringen auch Apostel oder Älteste zu wählen. Die Apostel, so erklärten sie uns, hätten die Aufgabe, herumzureisen, neue Gemeinden zu gründen, die Dinge richtig zu stellen und das Böse zu verurteilen. Selbstverständlich unterwarfen wir uns den Belehrungen der Eininghäuser Apostel.

Wenn ich nun einige Erfahrungen dieser Zeit weitergebe, dann möchte ich keine Brüder verurteilen, sondern nur vor diesem Geist warnen, der uns damals beherrschte. Auch möchte ich auf falsche, verhängnisvolle Schlußfolgerungen aufmerksam machen, die wir aus einzelnen Bibelstellen zogen.

Wir verstanden uns nun als Gemeinde Gottes in Gestringen. Die Gebetsversammlung verlief etwa so: Wir kamen zu etwa 30 jungen Christen zusammen, die fast alle die Erfahrung der »Geistestaufe« gemacht hatten. Zuerst wurden dem Herrn einige Anliegen gesagt. Dann baten wir um Demut denen gegenüber, die unsere Erfahrungen noch nicht gemacht hatten. Danach wurde um Geistesgaben und um Liebe untereinander gebetet.

Weiter beteten wir, daß Jesus uns doch bald das versprochene große Landgut schenken möge. Aufgrund der Auslegung einer Zungenrede glaubten wir, daß wir ein riesiges, nachbarschaftliches Gut geschenkt bekämen. Mit diesem Bewußtsein verband sich ein hochmütiges Sendungsbewußtsein.

Von diesem Landgut sollten besonders die Eininghäuser ausgehen und die Gemeinde Christi neu beleben. Wir hielten uns für eine auserwählte Schar, die Christen in Deutschland zu einen, sie zu mehr Liebe untereinander und zu den Verlorenen zu ermahnen und sie von der Gesetzlichkeit zu befreien.

Die Eininghäuser sahen auch ihren Auftrag darin, durch ihre allein durch den »Geist« geleitete Rock-Musik Jesus den Ungläubigen nahezubringen. Man träumte von großen Veranstaltungen, besetzten Hallen usw. Wir hielten das alles für den Willen des Herrn, denn es war uns ja durch die »Weissagung« zugesprochen. Die Sache mit dem Landgut (ein Millionenobjekt) war realistisch gesehen ein Unding, es bestand von Seiten der Besitzer gar keine Veranlassung, uns dieses Objekt zu überlassen. Aber aus einer »Weissagung«, die lautete, daß um 9 Uhr eines bestimmten Tages drei Apostel dem Besitzer des Gutes das Evangelium verkündigen sollten, folgerten wir, daß der Besitzer sich bekehren und uns das Gut aus Dankbarkeit schenken würde. Wir waren alle davon überzeugt, schließlich hatte der Geist des Herrn geredet. Als dann aber der Tag und die Stunde da war und unsere Apostel ihren Auftrag ausführen wollten, war keiner der Gutsbesitzer anzutreffen. Wir entschuldigten diesen peinlichen Ausgang damit, daß die List des Feindes tätig gewesen sei.

Aber nun zurück zur Gebetsstunde. Nachdem diese

Anliegen vorgetragen wurden, begannen einige Geschwister in Zungen zu reden. Das wurde begleitet von »Halleluja«, »Preist den Herrn«, zuletzt war jeder beteiligt, jeder kam aus sich heraus. Ein lautes oder leises Lachen, Weinen, Schreien, ekstatisches Gestammel, all das durcheinander in einem 40 qm großen Wohnzimmer. Auf dem Höhepunkt dann: »Danke, Jesus, danke, Halleluja, Amen, Amen!« Nun mußte man sich erst einmal wieder fassen. Aber dieses chaotische Durcheinander hielten wir für wahre Anbetung. Daß hier der Heilige Geist wirkte, davon waren wir zutiefst überzeugt.

Anschließend wurden noch einige Lieder gesungen, Erfahrungen ausgetauscht, Ermahnungen oder Ermunterungen durch die Apostel ausgesprochen.

Der Bibel bediente man sich oft so, daß sie einfach aufgeschlagen und dieser Text als vom Herrn gegeben angenommen wurde. Einer der »Apostel« sagte dann etwas dazu, was für uns verbindlich war.

Leider muß ich sagen, daß wir das Abendmahl wie damals in Korinth gehalten haben. Es wurde wohl darauf geachtet, daß keiner, der in offenbarer Sünde lebte, daran teilnahm, aber ansonsten ging es nicht nur darum, der Leiden Jesu zu gedenken, sondern auch darum, satt zu werden.

Der Geist, der uns damals beherrschte, führte auch dazu, daß in hochmütiger Weise jeder jeden verurteilte. Gläubigen, die die Erfahrung der »Geistestaufe« nicht gemacht hatten, wurde unterstellt, an irgendwelchen Sünden festzuhalten. Schließlich waren die einen die »Reinen« und die übrigen die »Unreinen«, und es kam zur Spaltung.

Alle rannten auseinander, taten wieder Buße und kamen wieder zusammen, ohne die Wurzel des Übels zu erkennen.

Wir, das sind Ed, Lothar, Gerd und ich, fühlten nun als die »Reinen«, »Würdigen« das Sendungsbewußtsein, Bielefeld zu verändern. Wir wollten mit der Arbeit an Rauschgiftsüchtigen beginnen und zogen von dannen. Hinter uns blieb der Trümmerhaufen der »Unreinen« mit zerschlagenen Hoffnungen und Illusionen zurück. Die »Reinen« hatten sich abgesondert.

Heute muß ich sagen, daß wir nicht vom Heiligen Geist dazu getrieben wurden. Wir flüchteten vor uns selbst und wurden von einer anderen Macht getrieben.

In Bielefeld angekommen, konnten wir ein Haus mieten, das vorher das Zentrum der »Divine Light Mission« des »Guru Maharaschi« war. Der bisherige Sekretär hatte sich zu Jesus Christus bekehrt und von diesem falschen Propheten getrennt. Jedoch scheiterten unsere Versuche, dieses Haus in ein Rehabilitationszentrum zu verwandeln, an der Tatsache, daß wir zwar gute Motive, aber keinen Auftrag, keine Reife und auch keine finanziellen Grundlagen hatten. So gaben wir dieses Vorhaben bald wieder auf.

Wir hatten uns der Pfingstgemeinde angeschlossen, waren aber an einen Punkt gelangt, entweder auseinanderzulaufen oder ganz neu anzufangen. Wir beteten um Klarheit, wir suchten ein Fundament für unser Christsein, das nicht schwankte.

Gott erhörte unsere Gebete, indem Er uns zwei Brüder schickte, die uns auf den Boden der Heiligen Schrift zurückführten. Rolf, der ehemalige Sekretär, brachte eines Tages einen gläubigen Studenten mit, Andreas, welcher intensiv die Bibel studiert hatte und die Zusammenhänge der Bibel kannte. Wir baten ihn, mit uns Bibelstunden zu halten. Zugleich führte Gott uns einen älteren Bruder in unser Haus, der viele Jahre lang

Prediger einer Pfingstgemeinde gewesen war. Das Zeugnis und die Erfahrungen des älteren Bruders und die andauernden Bibelstunden des jüngeren brachten uns dazu, unsere Erfahrungen im Licht der Bibel zu prüfen.

Der ältere Bruder hatte ähnliche Erlebnisse wie wir hinter sich, war ein sogenannter »Gabenträger«, konnte nicht nur in Zungen reden, sondern sie auch auslegen. Er berichtete uns, wie er 18 Jahre lang all diese Dinge als von Gott kommend gehalten habe, bis daß er begonnen hatte, die Gaben, Weissagungen, Visionen usw. kritisch zu betrachten. Nach langen Untersuchungen ist er zu der Überzeugung gekommen, daß es sich hier um dämonische Gaben und Kräfte handelt, tat Buße und trennte sich von der Pfingstbewegung.

Durch dieses Zeugnis, das sich mit meinen Erfahrungen deckte, wurde mir mein Zustand und mein Irrweg bewußt. Ich konnte nicht anders, ich mußte meinen Weg und mein Handeln vor dem Herrn richten und verurteilen. Gerd und Ed haben an diesem Abend, unabhängig von mir, ebenso Buße über ihren Irrweg getan. So konnten wir uns am nächsten Morgen gegenseitig unsere Sünden und Verfehlungen bekennen.

Durch das anhaltende Bibelstudium führte uns der Herr schrittweise weiter. Wir streckten uns nun nicht mehr nach den Gaben und Erlebnissen aus, sondern nach dem Herrn selbst. Unsere Augen wurden geöffnet für das, was auf Golgatha geschehen ist, wo unser Herr das Opfer für unsere Schuld gebracht und uns mit Gott versöhnt hat. Wir erkannten, was Stellvertretung ist, als wir Ihn dort am Kreuz in den Stunden der Finsternis von Gott verlassen sahen, wo Er an unserer Stelle zur Sünde gemacht wurde. Aber wir erkannten auch das Resultat Seiner Auferstehung: unsere Rechtfertigung.

». . . welcher unserer Übertretungen wegen dahingegeben und unserer Rechtfertigung wegen auferweckt worden ist« (Röm. 4, 25).

»Also ist keine Verdammnis für die, die in Christo Jesu sind« (Röm. 8, 1).

Nun hatten wir Grund unter den Füßen. Unser Glaube, Friede und unsere Freude suchten wir jetzt nicht mehr in uns und unseren Gefühlen, sondern in Ihm, dem Auferstandenen. Das hatte auch andere Konsequenzen, denn der Heilige Geist versuchte nun auch, unser alltägliches Leben zu ordnen. Aus mir, einem sendungsbewußten Apostel, wurde nun ein schlichter Friseur, der beim Haareschneiden versucht, ein Zeugnis für Gottes wunderbare Gnade abzulegen. Auch Gerd und Ed nahmen eine Arbeitsstelle an, und Rolf ist inzwischen Lehrer an einer Grundschule geworden.

Ich freue mich, mit meinen Brüdern bezeugen zu können, daß der Herr Jesus Christus Schuld vergibt, aus Ketten der Gebundenheit befreit und von Irrwegen zurückholt.

Unser Leben ist von da an kein Höhenflug geworden. Daß wir nicht besser in uns geworden sind, merken wir täglich an unserem Versagen. Wir wissen uns allein auf die Gnade Gottes angewiesen, die uns täglich aufhilft, wenn wir gefallen sind.

Wir erwarten nichts mehr von uns, sondern alles von Ihm, der uns in Seine Nachfolge gerufen hat und uns Ihm ähnlicher machen möchte. Ihm sei aller Dank und alle Ehre.

Georg Epp

# Bis zum Schweinetrog

Hätte mich damals jemand gesehen, als ich wutentbrannt in den Keller stieg, um mir aus einem Eisenrohr einen Totschläger für alle künftigen Schlägereien zu fertigen, so wäre er wohl nie auf den Gedanken gekommen, daß ich zur gleichen Zeit als Musterknabe galt.

Ich bin in einem gläubigen Elternhaus aufgewachsen und habe als Junge von 11 Jahren auf einer Freizeit eine klare Bekehrung erlebt.

»Fort Laramy« nannten wir den alten, romantischen Kotten in der Senne, in dem in den Ferien Freizeiten durchgeführt wurden, die wir mit großer Freude mitmachten.

Wir lebten dort in fast mittelalterlichen Verhältnissen. Anstelle von elektrischem Strom und fließendem Wasser gab es Petroleumfunzeln und eine Wasserpumpe; aber das war für uns, die wir aus den engen Übergangswohnungen der Großstadt kamen, genau das richtige.

Nach einer Abendbibelstunde wurde mir klar, daß ich ein Sünder war und die Vergebung meiner Sünden nötig hatte. Ich konnte in dieser Nacht nicht schlafen, weil Gott mein Gewissen angerührt hatte. Am folgenden Abend wurde über die Vergebung der Sünden gesprochen, und ich schrie innerlich zu Gott, daß Er mir meine Sünden vergeben möchte.

Ich hatte wohl vorher noch nie so viel geweint wie in diesen beiden Nächten, in denen mir meine Verlorenheit bewußt wurde. Nachdem ich einige Stunden in meinem

Bett gebetet und um Befreiung von meiner Sünde gerungen hatte, wurden mir plötzlich die Augen dafür geöffnet, was Jesus am Kreuz stellvertretend für mich getan hatte.

Schlagartig war mir klar, daß ich mir die Vergebung nicht verdienen konnte, sondern daß ich nur dankbar das Geschenk der Vergebung anzunehmen brauchte, weil Er die Strafe für meine Schuld getragen hatte.

Alles Ringen, alles Zittern, alle Ängste waren vorbei. Ich wußte, daß ich nun ein Kind Gottes war. Meine Sünden waren vergeben, und ich konnte nur immer wieder »Danke« sagen.

Von diesem Tag an las ich mit großer Freude in der Bibel. Zu Hause ging ich wöchentlich zu einem Hausbibelkreis, und oft zog ich mit anderen los, um in der Stadt Traktate zu verteilen. Auch in der Schule versuchte ich weiterzusagen, was ich erlebt hatte. Da es mir sehr schwer fiel, mit anderen ein Gespräch über Jesus Christus zu führen, habe ich einfach während der Pause in der Bibel gelesen. Oft wurde ich von meinen Kameraden ausgelacht, aber ich konnte auch manches Gespräch führen. Eine ganze Reihe von meinen Klassenkameraden konnte ich im Laufe der Zeit zu den Freizeiten einladen, in denen ich später auch mitarbeiten durfte. Diese Jahre waren wahrscheinlich die schönste Zeit meiner Kindheit und meiner Jugend; denn ich lebte mit ganzem Herzen für Den, der am Kreuz für mich gestorben war.

Doch bald wurde es anders.

Mein Bruder hatte einige Gleichaltrige kennengelernt, mit denen er sich jeden Tag traf. Begeistert erzählte er mir von ihren Unternehmungen und bat mich, einmal mitzugehen.

Obwohl mich das wenig interessierte, ging ich mit und erlebte nun zum erstenmal, hinter dem Rücken meiner Eltern, mit Jugendlichen zusammenzusein, die alles andere als fromm waren. Es waren auch Mädchen dabei, und es war ein prickelndes Gefühl, das andere Geschlecht unbeaufsichtigt kennenzulernen. Um nicht länger als Hasenfuß und Sonderling zu gelten, begann ich auch zu rauchen.

Diese neue Welt nahm mich nun langsam aber sicher gefangen und brachte mich auf ein anderes Gleis. Ich merkte das ganz klar, als ich wieder einmal auf einer Freizeit war und wagte auch nicht mehr mitzuarbeiten, weil ich wußte, daß bei mir einiges nicht in Ordnung war.

Aber der Einfluß meiner neuen Freunde, die tun und lassen konnten was sie wollten, die auch aus einem strengen Elternhaus ausgebrochen waren und auf die Straße gingen, war größer. Anfangs war alles eigentlich nur Spielerei. Doch bald machte ich voll mit. Wie alle anderen hatte ich bald ein Mädchen, und dann kam das Trinken. Wir betranken uns mit billigem Rotwein.

Mir wurde zwar anfangs schlecht davon, aber ich wollte unter keinen Umständen den anderen nachstehen.

In mein Tagebuch schrieb ich damals: »Jetzt ist es mir unmöglich, all das, was ich in den letzten vier Monaten kennengelernt habe, sein zu lassen und mein altes Leben weiterzuleben.«

Eines Abends im Herbst 1971 warteten mein Bruder und ich an einem Waldrand auf unsere Freundinnen. Plötzlich kamen drei junge Männer vorbei, musterten uns und gingen weiter.

Als wir einige Minuten später den Mädchen entgegengehen wollten, kamen die drei plötzlich zurück und verpaßten uns derartige Prügel, daß wir sie nie wieder vergaßen.

Wir erzählten niemandem davon, aber wir schworen uns, daß uns das nicht wieder passieren sollte. An diesem Abend stieg ich in unseren Keller, um mir aus einem 30 cm langen Eisenrohr einen Totschläger zu fertigen. Außerdem trug ich von da an eine 50 cm lange, doppelgliedrige Hundekette bei mir, die ich als Schlagwaffe, oder um die Hand gewickelt, als Schlagring gebrauchen konnte.

Damals gab es in Bielefeld eine Anzahl Banden, die sich auch manchmal gegenseitig bekämpften. Die Bande in unserem Stadtteil war einige Dutzend Mann stark, im Alter zwischen 16 und 24 Jahren. Zu jeder Bande gehörte eine Anzahl »Bräute«.

Bisher hatten mein Bruder, zwei Freunde und ich eine eigene Clique gebildet. Die erste Begegnung mit dieser Bande hatten wir auf dem Robinson-Spielplatz, wo wir oft herumlungerten. Wir waren zu stolz um abzuhauen und hatten außerdem unsere Waffen bei uns.

Etwa sieben bis acht Leute umstellten uns und versuchten, uns zu provozieren, indem sie uns beleidigten. Als das keine Wirkung hatte, warf der Anführer eine leere Bierflasche nach mir. Sie zerbrach über meinem Kopf an dem Pfosten, an dem ich lehnte und überschüttete mich mit Glasscherben. Als auch dies keine Angstreaktion hervorbrachte, benutzte der Anführer eine Bemerkung meines Freundes, um sie als Beleidigung aufzufassen und ihn mit einem Schlag zu Boden zu befördern.

Dann ließen sie von uns ab, luden uns aber vor ihrem Rückzug noch zu einer Sauftour ein.

Hätten wir Angst gezeigt, wären sie wahrscheinlich

über uns hergefallen. So aber akzeptierten sie uns, zwar nicht als vollwertig, aber wir durften uns ihnen anschließen. Die meisten Mitglieder der Bande waren mehrfach vorbestraft und gingen keiner geregelten Arbeit nach.

Ungefähr 1 ½ Jahre blieben wir bei dieser Gruppe. Die Anführer wechselten oft. Einer der ersten, den wir kennenlernten, war ein sehr gutmütiger Typ, der durch seine geplatzte Verlobung in den Sumpf geraten war. Er war einer der wenigen, der auch uns jüngere ernst nahm. Er sitzt jetzt seit ca. sechs Jahren wegen Totschlages im Gefängnis. Wegen einer Kiste Bier hatte er ein Mitglied der eigenen Bande zusammengeschlagen und in einen Bach geworfen, wo dieser ertrank.

Obwohl wir Außenstehenden gegenüber oft brutal waren und auch Streit herausforderten, hatten wir doch einen eigenen Ehrenkodex entwickelt, den wir immer einhielten. Als zum Beispiel einer von uns ein Mädchen beleidigte, das nach etwas gefragt hatte, sahen mein Bruder und ich uns nur an, mit dem Gedanken: Wer hat den ersten Schlag. Nachdem er nickte, schlug ich den Betreffenden zu Boden.

Aber ansonsten hielten wir eng zusammen. Die Zusammengehörigkeit bedeutete einmal, daß wir voneinander nichts zu befürchten hatten, und zum anderen, daß sie Schutz gegen andere bot. Zwei unserer Bandenmitglieder hatten aus irgendwelchen Gründen in unserer Stammkneipe den Ärger zweier Männer erregt und wurden auf dem Weg nach Hause von ihnen durch brutale Faustschläge und Fußtritte zusammengeschlagen. Als wir davon erfuhren, sprachen wir uns ab, alle Mann zu alarmieren. Wenn diese Männer noch einmal in unserer Kneipe auftauchen würden, wollten wir gemeinsam Rache nehmen.

Eines Abends, als ich vor dem Fernseher saß, klingelte es plötzlich und ich bekam Nachricht, daß man diese Männer gesehen habe. Ich zog meine Jacke an und steckte die Waffen ein. In diesem Moment rief mich meine Mutter und verbot mir, wegzugehen. Da ich bisher noch vor meiner Familie eine Show abzog und mehr oder weniger den braven Sohn spielte, aber auch noch eine Scheu vor offenem Ungehorsam hatte, blieb ich zu Hause. Später hörte ich, daß die Männer »Lunte gerochen« und es vorgezogen hatten, nie wieder unsere Kneipe aufzusuchen. Damit war unsere Ehre wiederhergestellt.

Ernst wurde es, wenn uns jemand mit einer Anzeige bei der Polizei drohte. Da wir zu stolz waren um nachzugeben, sahen wir dann rot und setzten den Betreffenden mit Drohungen oder Tätlichkeiten so unter Druck, daß er nicht wagte, die Anzeige aufzugeben.

Einmal sah das so aus, daß sich einige von unserer Gruppe vor den Eingang einer Diskothek stellten und denjenigen, der uns anzeigen wollte, aufforderten, herauszukommen. Da er dazu keinen Mut hatte, demonstrierten wir unsere Macht und Überlegenheit dadurch, daß wir sein Moped Stück für Stück auseinandernahmen. Das genügte, um ihn aus Angst vor weiteren Repressalien von einer Anzeige abzuhalten.

Wir hatten unsere Bandenzugehörigkeit aus Neugierde und einem Schutzbedürfnis heraus gewählt. Jedoch mit der Zeit wurden wir selbst zu Schlägern. Manchmal begegneten uns Jugendliche, die bereits schlechte Erfahrungen mit uns gemacht hatten. Wenn sie dann schnell auf die andere Seite auswichen, fühlten wir uns unheimlich stark und bestätigt.

Ich selbst wurde früher oft gehänselt und umgestoßen und wollte jetzt beweisen, daß ich nicht mehr der kleine, ängstliche Junge von früher war, der sich von jedem drangsalieren ließ.

Heute kann ich mich nur tief schämen, wenn ich daran denke, wie brutal und gemein wir solche zusammengeschlagen haben, die es wagten, uns mit dem Spitznamen aus unserer Kinderzeit anzureden.

Eine noch verhängnisvollere Rolle spielte in meinem Leben der Alkohol. Wie schon angedeutet, begann ich damit aus Neugierde und Angeberei. Doch bald wurde er zu einem festen Bestandteil meines Lebens. Anfangs trank ich nur in Gesellschaft. Seitdem die Polizei regelmäßig Streifen in »unser« Gebiet schickte, wichen wir auf Wohnungen von Freunden aus, deren Eltern nicht zu Hause waren, um dort unsere Trinkgelage zu veranstalten. Nach etwa zwei Jahren war es dann soweit, daß ich oft wochenlang jeden Abend betrunken war.

Ich brauchte auch keine Gruppe mehr, um trinken zu können, sondern griff bei den kleinsten Problemen auch in der Einsamkeit zur Flasche. Oft blieb ich dann irgendwo regungslos liegen, um den Rausch auszuschlafen. Was ich tat, tat ich meist sehr gründlich und konsequent.

Mit der Zeit verlor ich auch meine Skrupel. Wenn wir grölend und torkelnd, teilweise auf allen Vieren landend uns durch die Stadt bewegten, um dann bei einem Teich die Köpfe in schmutziges Wasser zu stecken, war es mir egal, was die Passanten von mir dachten.

Meine Eltern ahnten lange Zeit nichts von meinem Privatleben. Auch in der Schule gelang es mir, ein ganz anderes Bild abzugeben. Aber die Fassade bröckelte bald. Hatte ich das zehnte Schuljahr mit Auszeichnung bestanden, so versagte ich dann auf dem Gymnasium total, weil ich kaum noch Energie zum Lernen aufbrachte und oft den Unterricht schwänzte. Erst als ich eines Tages eine halbe Stunde zu spät und betrunken antrat, um der auf mich wartenden Klasse ein Referat zu halten, ging dem Lehrer langsam ein Licht auf.

Um meine wachsende Einsamkeit zu bewältigen, begann ich täglich ein Tagebuch zu führen. Ich hatte niemanden, dem ich meine innersten Gefühle anvertrauen konnte und wollte. So schrieb ich alles, was mich bewegte, in mein Tagebuch und wurde mir oft beim Schreiben bewußt, wie traurig und verloren mein Leben war.

Keiner meiner Bekannten ahnte, daß ich manchmal abends auf meinem Bett lag und zu Gott schrie, daß Er doch alle meine Freunde und Freundinnen retten möchte. Für mich selbst hatte ich jede Hoffnung aufgegeben. Die Sünde hatte mich brutal und jähzornig gemacht.

Mein ausgeprägtes Selbstmitleid wirkte sich dahingehend aus, daß ich meine Umwelt als feindlich ansah und mich ständig bedroht fühlte.

Oft wurde ich von Selbstmordgedanken geplagt, aber dazu fehlte mir der Mut, und außerdem hatte ich Angst, möglicherweise das zu versäumen, was ich mir so sehr wünschte. Ich wollte einen Menschen haben, um meine Einsamkeit zu beenden, die mich auch mitten unter meinen Freunden und Freundinnen ergriff.

Hin und wieder trieb mich die Sehnsucht nach einem erfüllten Leben, das ich ja bereits einmal kennengelernt hatte, dazu, daß ich wieder zu den Freizeiten fuhr. Ich versuchte auch einmal, ein neues Leben anzufangen, aber zu Hause gelang es mir nicht, mich von den Verbindungen zu lösen, die mich nach unten zogen. Manchmal besuchte mich ein Freizeitleiter, den wir aus verschiedenen Gründen »Sauerkraut« nannten. In diesen Gesprächen mußte ich zugeben, daß ich ein sinnloses Leben führte. Doch sagte ich dann immer, daß ich nicht anders könnte, daß die Kraft zu einer Umkehr fehlte.

Gott mußte mich noch tiefer fallen lassen, um mir meine ganze Verlorenheit und Seine große Liebe zu zeigen. Mein Lebensmotto, das ich für mich entwickelt hatte, lautete: »Wie du mir, so ich dir!« Gab mir einer ein Bier aus, bekam er zwei zurück. Beleidigte mich jemand, so schlug ich in meinem Jähzorn sofort zu. Mein Haß machte mich dann unversöhnlich.

Zum Beispiel war ich einmal in einer Diskothek und sah anderen beim Kartenspiel zu. Als ich zur Theke gehen wollte, um meine leere Bierflasche umzutauschen, versperrte mir jemand den Weg und hielt mich an der Jacke fest. Das bedeutete für mich eine tiefe Kränkung, und so hob ich fast automatisch den Arm, um ihm die leere Bierflasche auf dem Kopf zu zertrümmern. Zum Glück fiel mir jedoch mein Bruder in den Arm; denn er hatte gesehen, daß wir in der Minderheit waren und wußte zudem, daß mein Widersacher soeben erst von einem Schädelbruch genesen war.

Die Langeweile führte dazu, daß wir gefährliche Spiele einführten. Wir bildeten dann einen Kreis, in den sich jemand stellte. Die Regel war, daß jeder der Umstehenden zwischen Kopf und Gürtellinie zuschlagen durfte. Es kam darauf an, so schnell zuzuschlagen, daß der in der Mitte Stehende die Armbewegung nicht wahrnahm. Konnte er jedoch den Schlagenden erkennen, so mußte dieser dann in die Mitte. Schiedsrichter war die ganze Gruppe. Meist wurde bei diesen »Spielen« in den Rükken geschlagen, und so mancher ging nach einem Nierenschlag zu Boden.

Mir macht es keine Freude, diese Spiele zu beschreiben, und ich möchte nur andeuten, wie dumm und primitiv wir wurden, weil keiner dem anderen nachstehen und man die Gunst der Gruppe und sein eigenes Gesicht nicht verlieren wollte. Vielleicht haben wir damals auch unbewußt einen Teil unserer Aggressionen abgelassen, jedoch war ich schon zu abgestumpft, um zu erkennen, wie abartig und widersinnig unser Leben war.

Auch in dieser Zeit wagte ich es hin und wieder, zu Gott zu beten. Ich betete dann für alle, von denen ich wußte, daß sie vor die Hunde gehen würden. Für mich konnte ich nicht bitten. In diesem ganzen Zeitabschnitt habe ich nie daran gezweifelt, daß es Gott gibt; aber ich wußte auch, daß ich durch Abgründe von Ihm getrennt war.

Zweimal wurde ich tief erschüttert, weil ich mit dem Tod in Berührung kam. Aber mein Leben änderte sich nicht.

Das eine Mal sah ich dem Tod in die Augen, als wir uns nach einem Fußballspiel ins Auto setzten, Gas gaben und in einer Linkskurve ins Schleudern gerieten und uns mehrfach überschlugen. Wie durch ein Wunder stiegen wir zwar benommen, aber kaum verletzt aus dem schrottreifen Wagen. Noch während der Schockwirkung mußte ich daran denken, was mich erwartet hätte, wenn ich umgekommen wäre. Ich wurde still und nachdenklich, aber mein Leben blieb wie es war.

Ebenso erschüttert wurde ich, als ich einen Tag nach einem freudigen Wiedersehen mit einem ehemaligen Klassenkameraden, den ich lange nicht mehr gesehen hatte, hörte, daß er wenige Stunden nach unserem Gespräch einen tödlichen Motorrad-Unfall hatte. Ich stellte sofort einen Zusammenhang zwischen unserem

Wiedersehen und seinem plötzlichen Tod her. Im Gespräch hatte ich gemerkt, daß auch er sehr einsam war, und mein Gewissen regte sich, weil ich daran dachte, daß Gott mich vielleicht mit ihm zusammengeführt hatte, um ihm den einzigen Ausweg zu zeigen. Lange Zeit verfolgte mich die Erinnerung an unsere letzte Begegnung, aber schließlich rechtfertigte ich mich damit, daß ich ihm in meiner Unglaubwürdigkeit sowieso nicht hätte helfen können.

## Auf der Suche nach Liebe

Zu Hause hatte ich eine strenge Erziehung genossen. Die Themen »Sexualität, Liebe« usw. galten als tabu. Was ich wußte, hatte ich auf der Straße durch Andeutungen, schmutzige Witze und Geschichten erfahren. Von daher war dieses Gebiet für mich Neuland, das erobert werden mußte.

Ich kann an dieser Stelle nur sagen, wie verantwortungslos Eltern handeln, wenn sie diese Aufklärung der Umwelt überlassen. Sie ahnen nicht, welche verheerenden Auswirkungen es haben kann, wenn Kinder die Sexualität nur als schmutzige, ehrfurchtslose oder körperliche Begierde auf der Straße oder sonstwo kennenlernen.

Meine erste Freundschaft platzte sehr schnell. Für mich war es irgendwie schön, jemanden zu haben, der mich mochte, und als diese Freundschaft in die Brüche ging, war ich tief enttäuscht und begann, zunächst alle Mädchen zu hassen.

Später konnte ich den Verlockungen nicht länger widerstehen und ging manche Freundschaft ein, ohne jedoch eine tiefere Beziehung herzustellen. Ich wurde noch oft enttäuscht, weil ich einfach keine Befriedigung und Erfüllung fand. In solchen Momenten wünschte ich manchmal aus tiefstem Herzen, wieder ein anderes Leben führen zu können. Oder ich träumte davon, erwachsen zu sein und meine eigene Familie zu haben, in der ich Geborgenheit finden würde.

In dieser Zeit schrieb ich in mein Tagebuch: »Hat man einmal etwas mit Mädchen zu tun, dann kommt man nicht mehr davon los. Was nun? Ich weiß nicht mehr, was ich tun soll.«

Ich nutzte meine Freundinnen nur aus, und es machte mir Spaß, sie zu kränken und zu demütigen. Da ich sie als Gebrauchsgegenstand behandelte, dauerten diese Freundschaften auch selten länger als einige Wochen.

Es war kein Problem, unerfahrene oder auch erfahrene Mädchen zu bekommen. Nur wenige ahnen, wie viele junge Menschen allein und einsam sind. Sie haben nie die wirkliche Liebe Gottes kennengelernt, und da sie körperliche Begierden und ein bißchen Gefühl für Liebe halten, greifen sie sehnsuchtsvoll zu, um dann meist tief enttäuscht in einem Sumpf von Unmoral, Schmutz und Gleichgültigkeit zu versacken. Wie manch einer, der eine tiefe Sehnsucht nach selbstloser und echter Liebe hat, begegnet nur einem kalten Egoismus, der in Partnertausch und Hurerei ausartet.

Diese totale Auflösung jeglicher Moral, ja, jeder Menschlichkeit, zeigt auch, wie verzweifelt man nach etwas sucht, was die innere Leere und Kälte füllt und erwärmt.

Wie oft war ich in diesem Zustand der Verzweiflung nahe. Mir ging es so wie jenem Gelähmten in der Bibel, der ausrief: »Ich habe niemand!« Was mir blieb, war der

Alkohol, dieser verräterische Freund, der mich für ein paar Stunden der Betäubung und dem Elend überlieferte.

Satan ist ein gnadenloser Herr. Auf der einen Seite lockte er mich mit süßen Versprechungen, alle Sehnsüchte zu erfüllen – und auf der anderen Seite zeigte er mir die ganze Verwerflichkeit meiner Handlungen, so daß ich nicht wagte, in meiner Not zu Jesus Christus zu gehen.

Heute weiß ich, daß Gott es so zugelassen hat. Durch diese bitteren Enttäuschungen mußte ich dorthin kommen, wo auch der verlorene Sohn zur Besinnung kam: zum Schweinetrog.

## Einkehr

Im November 1973 war »Sauerkraut« mal wieder in unserer Gegend und besuchte mich. Er erinnerte mich in diesem Gespräch an die Zeit, in der ich für Jesus Christus gelebt hatte. Als wir darüber sprachen, stieg in mir eine wehmütige Erinnerung auf. Ich wurde sehr traurig, denn mit einem Mal wurde mir klar, wie sehr ich mich verändert hatte. »Sauerkraut« erzählte von den alten Freizeitfreunden, und was er mir erzählte, schien mir wie aus einer anderen Welt, mit der ich nichts mehr gemeinsam hatte: einer Welt des Kampfes für Jesus Christus und, was mir am beneidenswertesten schien, eine Welt des Friedens, der Ruhe und der Reinheit. Damals war ich freiwillig aus dieser Nachfolge Jesu getreten, nun hatte ich weder Mut noch Kraft, ein neues Leben anzufangen.

Das ganze Gespräch war für mich deprimierend. Ich sagte noch, daß ich oft eine mächtige Sehnsucht nach

Ruhe hätte, aber einfach nicht zurück könnte. Auch die Angst vor einer erneuten Niederlage nahm mir jeden Mut. Zugleich gaukelten mir die Erinnerungen meines bisherigen Lebens einiges vor, und ich sah Dinge, auf die ich doch nicht verzichten wollte. Satan merkte wahrscheinlich, daß ich auf der Kippe stand und zeigte mir sehr deutlich, was er mir bisher geboten hatte und mir noch bieten wollte. Er zeigte mir andererseits auch alle Ketten und Fesseln, mit denen er mich durch mein Leben in der Sünde an sich gebunden hatte. Die Konsequenzen der Nachfolge Jesu standen auch vor meinen Augen, und ich sah meine Freunde spöttisch über mich lächeln.

Nun war der Kampf vorbei, die Krise überwunden. Nein, ich konnte und wollte nicht zurück. Satan war wirklich Herr über meinen Willen.

Bevor »Sauerkraut« weiterfuhr, standen wir noch eine kurze Zeit an seinem Auto, und er fragte mich, ob wir trotzdem Freunde bleiben und Kontakt miteinander haben könnten, auch wenn wir nicht an einem Strick ziehen würden.

An dieser Stelle möchte ich jeden Christen bitten, niemals einen »hoffnungslosen Fall« aufzugeben. Ich habe selbst erfahren, wie wichtig es ist, einen an die Sünde gebundenen Menschen nicht dem Satan zu überlassen. Der Herr Jesus erzählt einmal von dem guten Hirten, der dem Verlorenen solange nachgeht, bis er es findet. So sollen auch wir als Seine Kinder mit derselben Liebe und Beharrlichkeit dem Verlorenen nachgehen.

Ich fürchte, daß wir Christen hier durch Unterlassungssünden und Bequemlichkeit sehr schuldig geworden sind. Hätte sich der Freund damals von dem leider heute oft mißbrauchten Ausspruch »die Perlen nicht vor die Säue zu werfen« abhalten lassen mich aufzusuchen, so würde ich wahrscheinlich jetzt noch am Schweinetrog der Sünde sitzen. So aber begann Gott, mich durch diesen Besuch an Sich zu ziehen.

Nachdem wir uns verabschiedet hatten, griff ich erst einmal kräftig zur Flasche, um die in mir aufkommenden Fragen und quälenden Zweifel zu verscheuchen. Und dann ging ich zur Diskothek.

Die Tanzfläche wurde durch das flackernde Licht einer Lichtorgel erhellt, und die Musik war so laut, daß man sich zur Verständigung anschreien mußte. Der Raum war voll mit jungen Leuten, die zum Beat-Rhythmus tanzten. Mir war nach diesem Gespräch nicht zum Tanzen zumute, und ich versuchte, mir mit einer halbvollen Flasche Bier einen Weg durch die Menge zu bahnen, um mir irgendwo einen Sitzplatz zu sichern.

In einer dunklen Ecke sah ich ein junges Mädchen sitzen, welches vor sich hinsah und weinte. Ich erinnerte mich, sie schon einmal gesehen und gesprochen zu haben, und in einer Aufwallung von Mitleid und Selbstmitleid setzte ich mich neben sie und sagte: »Alles Scheiße, was?«

Nachdem sie meine Feststellung kurz bejaht hatte, sah sie zu den sich im Dunkeln bewegenden Gestalten hin. Ich trank ab und zu aus der Flasche und sah schließlich das Mädchen von der Seite an. Es stand ihr im Gesicht geschrieben, daß sie großen Kummer hatte und am Ende war.

Ich verspürte in mir den Wunsch, ihr zu helfen und mich etwas um sie zu kümmern.

Da wir uns wegen der lauten Musik kaum unterhalten konnten, gingen wir in einen anderen Raum, wo kleine Nischen nebeneinander gebaut waren. Wir setzten uns dort hin, und dann fragte ich Karin, was ihr so zu schaffen mache. Während ihr die Tränen liefen, kam es erst zögernd, bald aber schnell aus ihr heraus, daß sie nicht mehr leben wollte. Das ganze Leben sei sinnlos, nichts würde sie mehr interessieren. Alle Freunde nutzten sie nur aus, und zu Hause hätte sie Krach. Auch ihr Vater, mit dem sie sonst über vieles sprechen würde, könnte ihren Zustand nicht verstehen. Sie wäre immer schon auf der Suche gewesen, habe alles Mögliche ausprobiert und wäre jetzt soweit, die Suche nach einem Sinn für ihr Leben enttäuscht aufzugeben und ihr Leben zu beenden.

Was sie sagte, glaubte ich ihr, weil ich das alles nur zu gut kannte. Und plötzlich hatte ich große Angst, daß sie ihr Vorhaben ausführen könnte. Ich wußte, daß ich ihr unbedingt helfen, ja mir selbst helfen mußte, weil sie meinen Zustand widerspiegelte.

Da das Gespräch mit »Sauerkraut« noch sehr lebendig vor mir stand, begann ich ihr zu erzählen, daß es einen Ausweg für ihre Situation gäbe.

»Hör zu«, sagte ich, »ich weiß etwas, was dir helfen wird und was besser ist als alles, was du bisher kennst. Hast du es schon einmal mit Gott versucht?«

Da sie das überhaupt nicht verstand, begann ich ihr das ganze Evangelium, Jesu Kommen auf diese Erde, Sein Sterben am Kreuz, Seine Auferstehung zu erklären. Ich sagte ihr, was es beinhaltet für diesen Jesus zu leben, der auf Golgatha Sein Leben für Sünder, wie wir es sind, gelassen hat.

Alles, was die Jahre über verschüttet gewesen war, sprudelte jetzt plötzlich aus mir heraus. Heute kommt mir diese Situation äußerst seltsam vor; auch Karin war etwas angetrunken und hörte in dieser Umgebung meinen Worten über die Liebe Jesu zu. Daß ich kein glaubwürdiger Zeuge Jesu war, war mir klar; da sie aber fragend geworden war und einen Lichtschimmer wahrzunehmen schien, wollte ich ihr unbedingt weiterhelfen. Ich versprach ihr, sie mit einem Christen zusammenzubringen, der sie zu Jesus Christus führen und mit ihr beten könnte.

Am nächsten Tag sprach ich dann mit einem Christen, dessen Hausbibelkreis ich früher oft besucht hatte und bat ihn, sich um dieses Mädchen zu kümmern. Jedoch lehnte dieser sehr schroff ab, was mir damals völlig unverständlich war. Heute sehe ich es als göttliche Führung, denn jetzt mußte ich mich mit Karin weiter beschäftigen.

Da ich nicht in der Lage war, ein geistliches Gespräch zu führen oder gar mit ihr zu beten, suchte ich nach anderen Möglichkeiten. Plötzlich ging mir auf, daß ich ja noch aus alten Zeiten eine Menge christlicher Bücher besaß. Glücklich über diesen Einfall suchte ich einige evangelistische Bücher heraus und begann sie zu lesen, um alle Sätze, die meiner Meinung nach wichtig waren, zu unterstreichen. Nachdem das geschafft war, machte ich mich auf den Weg und brachte Karin die Bücher, die sie lesen sollte.

Es dauerte etwa eine Woche, bis Karin die Bücher gelesen hatte. Wir trafen uns danach oft und sprachen darüber. Sie hatte viele Fragen, die ich ihr beantworten sollte. Ich erzählte ihr, daß der Herr Jesus Gottes Sohn sei und auf die Erde kam, um durch Seinen Tod und Seine Auferstehung die Menschen vor dem kommenden Gericht zu erretten; denn der Mensch sei ein Sünder, und damit lebe er ohne und gegen den Willen Gottes. Weil Gott uns aber liebhätte, möchte Er uns die Sünden vergeben, damit wir Gemeinschaft mit Ihm und das ewige Leben hätten. Ich erzählte ihr auch, daß ein Leben als Christ einen wirklichen Sinn hätte, daß man im täglichen Leben in allen Dingen auf Gottes Führung und Kraft vertrauen könnte.

An ein Gespräch erinnere ich mich noch besonders gut. Wir saßen in meinem Zimmer, und ich erzählte ihr von dem künftigen Gericht und was die Bibel über das Ende der Welt und das neue Jerusalem sagt. Als ich erzählte, wie unvorstellbar schön es dort sein wird, liefen ihr die Tränen über das Gesicht, und ich sprach noch lange mit ihr über die Liebe und das Angebot des Herrn, Seine Nachfolger zu werden.

Ich wollte erreichen, daß Karin Christus finden und ein neues Leben beginnen würde, dabei war mir allerdings kaum bewußt, daß sie das, was ich erzählte, überhaupt nicht kannte, das heißt, noch bei niemandem verwirklicht gesehen hatte, am wenigsten bei mir.

Dazu kam noch, daß ich den Eindruck gewann, daß Karin sich in mich verliebt hatte und auch etwas enttäuscht war, daß ich nicht die gleichen Gefühle für sie hatte. Ich hatte kurz vorher eine meiner enttäuschenden Freundschaften beendet und wollte zu diesem Zeitpunkt keine neue Verbindung eingehen. Auf jeden Fall brachen wir unsere Treffen ab, und ich hoffte, daß sie trotzdem weiterfragen und weitersuchen würde.

Tatsächlich versuchte Karin auch herauszufinden, ob das, was ich ihr gesagt hatte, stimmte oder nicht. Sie wußte, daß ihr Bruder eine alte Lutherbibel besaß und wollte darin lesen. Auch hatte sie sich aus den Büchern manche Stellen herausgeschrieben und wollte diese mit der Bibel vergleichen. Obwohl sie die Bibel überall suchte, fand sie sie nicht. Deshalb fragte sie ihren Bruder danach unter dem Vorwand, sie für den Religionsunterricht zu gebrauchen. Sie wollte zu Hause kein Aufsehen erregen. Als sie das begehrte Buch endlich hatte, las sie jeden Abend darin. Karin wollte aus der Bibel mehr erfahren und vor allem wissen, was sie damit praktisch anfangen sollte, denn gerade das konnte sie bei mir nicht sehen. Da sie sich aber allein nicht weiterhelfen konnte, versuchte sie mich zu erreichen, fand mich aber nicht und traute sich auch nicht, meine Eltern nach mir zu fragen. Nach einigen Tagen trafen wir uns aber doch nach einem traurigen Zwischenfall.

Ich war mit einigen Freunden unterwegs, und wir hatten uns ein Fußballspiel angesehen. Ich hatte mir eine Flasche Rum mitgenommen und nach und nach ausgetrunken. Dann gingen wir in ein Gemeindehaus. Dort angekommen, war ich bereits so umnebelt, daß man mich auf ein Sofa legte. Was nun um mich herum vorging, nahm ich nur verschleiert wahr. Genau zu diesem Zeitpunkt war Karin auch dort, und jemand sagte ihr, daß ich da wäre. Sie ging nach oben und sah mich dort liegen. Es bot sich ihr ein erbärmliches Bild. Ich lag bleich, kaum wahrnehmungsfähig in meinem eigenen Erbrochenen. Eines der anwesenden Mädchen versuchte mir zu helfen, indem sie mich saubermachte. Karin setzte sich neben mich und wußte nicht, was sie tun und sagen sollte.

Die anderen machten sich lustig über mich und meinen Zustand. Das ärgerte sie, und sie wollte mir zeigen, daß wenigstens einer mich trotz allem liebhatte. Sie nahm ihre Kette mit dem goldenen Herzen ab und versuchte, sie mir in die Hosentasche zu stecken. Da das aber nicht gelang, legte sie die Kette in meine Hand und verschwand dann. Obwohl ich kaum etwas merkte, wußte ich doch, daß mir jemand etwas gegeben hatte. Nachdem ich da einige Stunden gelegen hatte, mußten wir das Haus verlassen. Ich hatte mich einigermaßen erholt, war zwar noch immer betrunken, konnte aber wieder denken und einigermaßen gehen. Da ich so nicht nach Hause wollte, zog ich unter eine naheliegende Brücke. Draußen war es fürchterlich kalt geworden, und der Wind zog unter der Brücke hindurch. Plötzlich sah ich, daß Karin auf einer windgeschützten Anhöhe saß, und ich ging zu ihr. Ich setzte mich neben sie, und sie ließ mich auf ihrem warmen Mantel sitzen. Wir saßen etwa so ein bis zwei Stunden nebeneinander, sprachen aber kein Wort. Dann ging jeder für sich nach Hause.

Am nächsten Tag fragte ich mich, woher wohl die Kette sei. Ich fragte das Mädchen, das sich um mich gekümmert hatte, und sie erzählte mir, daß Karin mir ihre Kette gegeben hätte.

Ungefähr eine Woche lang sahen wir uns nicht mehr. Karin saß in dieser Zeit zu Hause und las in der Bibel.

An einem Nachmittag war ich allein zu Hause, und mich packte eine Unruhe, so daß ich nicht in den vier Wänden bleiben konnte. Ich machte mich auf und ging spazieren. Nachdem ich einige Zeit ziellos umhergelaufen war, entschloß ich mich, zu einem nahegelegenen Teich zu gehen. Auf einer Bank saß Karin. Sie hatte an diesem Nachmittag frei und wollte sich mit mir über das Gelesene unterhalten und mich wiedersehen. Sie war nach draußen gegangen und hatte sich an den Teich gesetzt und den Herrn gebeten, wenn es Ihn gäbe, dann sollte Er mich dorthin führen. Tatsächlich führte der Herr mich an diesem Nachmittag genau dorthin. Wir gingen zusammen spazieren und unterhielten uns über das, was sie gelesen hatte. Von da an trafen wir uns wieder oft, gingen zusammen los und redeten miteinander, ohne daß die Zeit uns lang wurde. Wir hatten uns sehr gern, und die jetzige Beziehung war ganz anders als jede, die wir bisher erlebt hatten.

Es ist schwer zu beschreiben, was eigentlich geschah. Es ergab sich einfach, es war wie selbstverständlich, daß wir von jetzt an zusammenblieben. Mir war auch bewußt, daß wir klären mußten, was weiter geschehen sollte. Ich sprach mit Karin darüber und sagte ihr, daß wir nur befreundet sein könnten, wenn wir auch später heiraten würden. Es sollte keine Verbindung sein, die nach einem Monat oder einem Jahr beendet würde. Ungefähr vier Wochen nach unserem Wiedersehen am Teich fragte ich sie dann, ob sie mich heiraten würde. Aber auch diese Frage und ihre Zustimmung schienen irgendwie selbstverständlich zu sein, obwohl wir damals noch sehr jung waren.

Karin glaubte zwar alles, was in der Bibel stand und was ich ihr erzählte, aber zwangsläufig kam sie in einen inneren Konflikt, weil ich meinen alten Lebenswandel weiterführte und sie daran auch teilhaben ließ. Ich nahm sie mit zu Feten, zu alten Freunden, in die Kneipen und auf die Kirmes.

Eines Abends im neuen Jahr machte Karin mir unmißverständlich klar, daß mein ganzes Reden nur Schein sei und daß sie kein Christ werden könnte, wenn sich die Bibel nicht praktisch im Leben auswirken würde.

An diesem Abend brach ich zusammen. Gott hatte mich überführt, und in meinem Herzen waren die Worte, die auch ein Sünder vor Tausenden von Jahren ausgesprochen hatte.

»Sei mir gnädig, o Gott, nach Deiner Güte, nach der Größe Deiner Erbarmungen tilge meine Übertretungen! Wasche mich völlig von meiner Ungerechtigkeit, und reinige mich von meiner Sünde!

Denn ich kenne meine Übertretungen, und meine Sünde ist beständig vor mir.

Gegen Dich, gegen Dich allein habe ich gesündigt, und ich habe getan, was böse ist in Deinen Augen; damit Du gerechtfertigt werdest, wenn Du redest, rein erfunden, wenn Du richtest« (Ps. 51, 3–6). Ich schüttete mein Herz aus und erzählte Ihm alles, was mich bedrückte. Ich bat Ihn um Vergebung und Kraft für ein neues Leben.

Damals schrieb ich in einem Brief an »Sauerkraut«: »Ich habe dadurch, daß ich meiner Freundin kein Christsein vorleben konnte, gemerkt, daß ich sie eher hindere, als daß ich ihr helfe. Ich wußte das schon, als ich sie kennenlernte, aber es wurde mir erst vor sechs Wochen schlagartig klar. Es war ein Neuanfang, ohne viel zu überlegen, es kam alles sehr plötzlich und überraschend.«

Der Geist Gottes hat es in mir bewirkt, und ich war voller Ruhe und Freude, daß ich alles dem Herrn gesagt hatte und wußte, daß Er mir vergeben hatte.

In der ersten Zeit sagte ich niemandem, was ich erlebt hatte, denn ich wollte abwarten, ob sich der Neuanfang bewähren würde. Um so glücklicher war ich, als ich spürte, daß der Herr wieder durch Sein Wort zu mir sprach. Ich las nun wieder oft in der Bibel, und Er zeigte mir ganz genau, was ich zu tun hatte. Viele Fragen wurden dadurch beantwortet. Der Herr half mir auch, von Gebundenheiten frei zu werden und tatsächlich ein neues Leben zu beginnen. Ich trennte mich von meinen alten Bekannten und habe von dem Tag an zu meiner großen Verwunderung kein Verlangen mehr nach Alkohol gespürt. Meine ehemaligen Freunde schnitten mich, das heißt, sie übersahen mich einfach, wenn ich sie sah oder ansprach. Der Grund lag wohl darin, daß ich aus dieser verschworenen Gemeinschaft ausgebrochen war. Das tat mir zwar weh, aber wahrscheinlich hat es mir auch geholfen, von meinem alten Leben Abstand zu gewinnen.

Ich versuchte nun auch, mich intensiver um Karin zu kümmern. Ich ging mit ihr zu Evangelisationsabenden, schenkte ihr zum Geburtstag eine neue Bibel und führte viele Gespräche mit ihr. Doch schließlich wurde sie ablehnend, wenn ich mit ihr über geistliche Dinge sprach. Ich merkte, daß ich sie mit christlicher Literatur und mit den vielen Gesprächen überfordert hatte. Sie konnte das alles nicht so schnell verarbeiten, und ich mußte ihr Zeit lassen, anstatt sie zu drängen. So mußte ich lernen, Geduld zu haben und dem Herrn zu vertrauen. Es dauerte nicht mehr lange, bis Gott meine Gebete für Karin erhörte. Dadurch, daß ich ihr kein Hindernis mehr war und versuchte, als Christ zu leben und Gott zu gehorchen, kam sie allmählich dahin, das Wort Gottes persönlich auf sich zu beziehen. Diese Wandlung ging langsam vor sich, aber Karin nahm den Herrn in ihr Leben auf und lieferte sich Ihm aus.

Da ich mich von meinen alten Freunden getrennt hatte, hatte ich nun viel freie Zeit, die ich mit Karin verbrachte. Bisher hatten wir auch keine Gemeinschaft mit anderen Gläubigen; denn wir scheuten uns davor, so plötzlich wieder in einen frommen Bibelkreis oder in die Kirche zu gehen. Vielleicht lag es auch daran, daß uns von einzelnen Gläubigen ein gewisses Mißtrauen entgegengebracht wurde. So dauerte es ungefähr drei bis vier Monate, bis wir uns entschlossen, nun regelmäßig zu einem Bibelkreis zu gehen und dort, trotz aller Vorbehalte, Gemeinschaft zu suchen. Es hat auch lange gedauert, bis das fehlende gegenseitige Vertrauen langsam wuchs. In persönlichen Problemen, die wir nach wie vor hatten, standen wir allein, aber wir hatten den Herrn

Jesus. Vielleicht war es gut so, denn so lernten wir die ersten Glaubensschritte an der Hand des Herrn und nicht an der Hand von Gläubigen zu gehen.

Es war auch nicht einfach, das Vertrauen meiner Eltern zurückzugewinnen, die meine Wandlung nicht so schnell verarbeiten konnten.

Mit einigen alten Gewohnheiten hatte ich noch große Schwierigkeiten. Das Fluchen war für mich nach wie vor ein Problem. Ich wußte, daß es Sünde war, aber die jahrelange Übung hatte es mir zur Gewohnheit gemacht. Karin versuchte mir zu helfen, als sie merkte, daß ich das ändern wollte. Jedesmal wenn ich fluchte, machte sie mich sofort darauf aufmerksam. Manchmal war ich so enttäuscht, daß ich kaum noch wagte, meinen Mund aufzutun, aber nach einigen Monaten konsequenter Ermahnung mit der Hilfe Gottes, der mir die Geduld und nötige Ausdauer gab, war auch das Fluchen überwunden.

Da war auch noch mein Jähzorn. Oft brauste ich bei den kleinsten Anlässen auf. Ich konnte mich dann kaum noch zurückhalten und hatte meine Zunge nicht mehr in der Gewalt. Ich versuchte, dagegen anzukämpfen, aber es gelang mir nur zeitweise. Beim Fußballspielen, zum Beispiel, konnte ich mich kaum beherrschen. Doch Gott hat mich auch davon befreit.

Im darauffolgenden Sommer war ich wieder einmal auf einer Freizeit. Wir spielten Fußball, und ich wurde gefoult. Ich fiel der Länge nach hin und lag auf dem Bauch. Die Wut kam in mir hoch, ich stützte mich auf, wollte hochspringen und losbrüllen. Doch ich verharrte zwei Sekunden in dieser Stellung und sah, wie »Sauerkraut« ängstlich und unheilerwartend zu mir herüberschaute. Und dann war der Jähzorn plötzlich weg, und ich wunderte mich sehr, daß ich aufstehen und meinem Gegner sogar noch die Hand schütteln und lächeln konnte. Der Herr hatte mir geholfen. Seit dieser Erfahrung ärgere ich mich zwar oft noch über andere, aber ich brauche nicht mehr wütend und unbeherrscht zu werden.

In diesen Dingen, die der Herr an mir änderte, spiegelt sich wider, wie sich mein ganzes Leben verändert hat.

Nachdem ich erkannt hatte, daß ich vor Gott ein Sünder bin, und Jesus Christus stellvertretend für mich am Kreuz meine Schuld gesühnt hat, habe ich meine Sünden bekannt und im Glauben Sein Opfer für mich in Anspruch genommen. Deshalb ist mir meine Schuld vergeben, und Gott hat mir ein völlig neues Leben geschenkt.

In der Bibel steht in Johannes 3, 16: »Denn also hat Gott die Welt geliebt, daß Er Seinen eingeborenen Sohn gab, auf daß jeder, der an Ihn glaubt, nicht verlorengehe, sondern ewiges Leben habe.«

Dieses ewige Leben, mit einem völlig neuen Denken, Wünschen und Wollen hat uns total verändert.

Wir sehen jetzt uns selbst und auch unsere Mitmenschen mit anderen Augen.

Um so mehr wir in der Bibel lasen und den Herrn Jesus kennenlernten, desto deutlicher wurde uns auch, daß Gott uns eine Aufgabe gegeben hat.

Es gibt ja noch so viele junge Menschen, die jetzt irgendwo in diesen Gebundenheiten gefangen sind, in denen wir auch steckten. Wir sehen unsere Aufgabe darin, diesen jungen Leuten zu zeigen, wie man davon befreit werden und ein neues Leben beginnen kann.

Nach unserer Heirat haben wir unsere Zeit, unsere Wohnung, unser ganzes Leben dem Herrn Jesus zur Verfügung gestellt, um solchen suchenden und verlorenen Menschen eine Hilfe zu sein und ihnen von Jesus Christus zu erzählen, der der Weg, die Wahrheit und das Leben ist (Joh. 14, 6).

Obwohl Karin und ich wissen, daß der Herr Jesus uns vergeben hat, können wir doch vieles nicht wieder gutmachen, was wir in der vergangenen Zeit zerstört haben. Und deshalb bitten wir alle, die dieses Zeugnis lesen: Laßt euch mit Gott versöhnen, bringt euer Leben mit Gott in Ordnung, bevor ihr noch tiefer in Sünde und grausame Knechtschaft Satans fallt. Kehrt um zu dem, der euer Schöpfer ist und ein Anrecht auf euer Leben hat; der aber auch am Kreuz auf Golgatha den Preis für unsere Erlösung aus der Knechtschaft Satans bezahlt hat.

Dieser Jesus Christus, auferstanden aus den Toten und jetzt zur Rechten Gottes, ruft uns zu: »Kommet her zu Mir alle, die ihr mühselig und beladen seid, und Ich werde euch Ruhe geben.«

Johannes Reimer

# Es gibt eine Antwort

Als ich den Buchladen dieses Mal betrat, war er ziemlich leer. Nach einer kurzen Studie der zahlreichen Angebote, landete ich wie gewohnt an den Regalen mit philosophischer und marxistisch-atheistischer Literatur. Diese Ecke bot die meisten Bücher an, aber merkwürdigerweise blieben die wenigsten Besucher an ihr stehen. Erst viel später machte ich mir Gedanken darüber, warum gerade diese von mir so beliebte Ecke unseres Buchladens so unpopulär und unbeliebt war.

Neugierig schaute ich mir die ausgestellten Bücher an. Sehr bald entdeckte ich auch einige Neuerscheinungen. Eine kleine Schrift fesselte plötzlich meinen Blick »Jesus Christus – Gott, Mensch und Mythos?« – hieß der Titel. Auch der Autor, der mir gut bekannte M. M. Kublanow sagte mir sofort zu. Ich griff nach dem Buch, öffnete es und las begeistert das Vorwort. Es war ein Zitat von Juan Melje. Er schrieb: »Hütet euch . . . des blinden Glaubens, hütet euch vor diesen ersten Eindrücken, die ihr vom ersten Tag eures Lebens und dann während eurer Erziehung mitbekommen habt; nehmt dieses Leben ernster . . . prüft gründlich die Fundamente bevor ihr dem, was eure Religion euch lehrt, zu glauben beginnt. Ich bin davon überzeugt, wenn ihr dem Licht eures Verstandes folgt, werdet ihr bald sehen . . ., daß alle Religionen der Welt nur Produkte der Phantasie des Menschen sind, und daß alles, was die Religion lehrt, und wozu sie zu glauben zwingt, es sei übernatürlich, göttlich, letzten Endes Irrtum, Lüge, Illusion und Heuchelei ist.«

Sollte das eine Antwort sein auf die Fragen, die mich in letzter Zeit so beschäftigten? Fragen, die mich angesichts des Glaubens meiner Eltern und Verwandten seit einiger Zeit nicht mehr in Ruhe ließen. Ich blätterte begeistert in dem Buch und kaufte es dann voller Freude, um jetzt endlich einmal eine Antwort zu finden auf die Frage nach Gott.

Ich ging nach Hause und dachte an meine Großmutter, die in meinem Leben alles tat, um mich mit dem, wie sie sagte, großen und liebevollen Gott bekanntzumachen.

Wie muß ihr Herz geschmerzt haben, als ich mich dann bereits mit acht Jahren für ein anderes Leben entschied.

Mein Vater ließ mich in Ruhe. Müde von der ständigen Christenverfolgung distanzierte er sich immer mehr von den Zusammenkünften der kleinen christlichen Versammlung. Er hat es damals sicher gut mit uns Kindern gemeint, als er uns in dem Strom der kommunistischen Schulerziehung mitschwimmen ließ. Er selbst, als Deutscher und dazu noch als Christ hatte keine normale Kindheit, bekam keine Ausbildung und wurde an den Rand der Gesellschaft geschoben. Uns Kindern dachte er eine bessere Zukunft zu ermöglichen. Und sicher deswegen schwieg er zu dem Weg, den sein Sohn bereits im Kindesalter einschlug.

Ich kann mich kaum erinnern, daß meine Eltern mit mir über meine aktive Mitarbeit in den kommunistischen Kinderzirkeln irgendwann einmal gesprochen hätten.

Doch da kam plötzlich die große Wende. Trotz aller Proteste der Verwandtschaft zog unsere Familie im Jahr 1967 in den Westen der Sowjetunion, in die baltische Republik Estland. Nach dem Umzug änderte unser Vater sein Leben. Er tat Buße über sein Versagen, fuhr zu der alten Gemeinde und bat sie um Vergebung. Sicher konnte ich damals nicht alles verstehen, was Vater tat, aber irgendwie hat mich dieser Prozeß im Leben meines Vaters tief beeindruckt.

Ich war nie offen zu meinen Eltern. Zu Hause machte ich alles mit, ob es fromm war oder nicht. Meine inneren Kämpfe und Fragen behielt ich für mich. So wurden die Bücher sehr bald zu meinen Freunden, in ihnen suchte ich die Antworten auf meine Fragen, und meinen Lieblingsautoren teilte ich meine heimlichen Wünsche und Nöte mit.

Deswegen freute ich mich auch jetzt riesig über das neuerworbene Buch. Ich möchte hier nicht ausführlich erzählen, welche Fragen das oben erwähnte Buch in mir aufwarf. Aber während der ganzen Zeit, in der ich Antworten auf meine Fragen nach Gott suchte, blieb der Eindruck dieses Buches von Kublanow in mir sitzen, und das Studium anderer atheistischer Literatur bestätigte mir immer wieder diesen Eindruck.

Doch eines Tages kam mir beim Lesen dieser Bücher eine Frage: Wenn es doch nach der Überzeugung der Atheisten keinen Gott gibt, warum beschäftigen sich dann Leute wie Kublanow mit der Frage nach Gott überhaupt. Ich merkte auch, daß diese Autoren nicht nur Untersuchungen dieser Themen weitergaben, sondern die von ihnen verworfenen Ansichten über Gott regelrecht bekämpften.

Besonders verwunderte mich in diesem Zusammenhang der Begriff des militanten Atheismus. Eine Sache zu bekämpfen, die nicht existiert, das konnte ich irgendwie nicht zusammenbringen. Als ich mich dann ernsthaft mit der Frage auseinandersetzte, stellte ich fest, daß in unserer kommunistischen Gesellschaft nicht nur einige Autoren der Religion ihren Kampf ansagten, sondern daß die gesamte Erziehung in Kindergarten und Schule, auf der Universität und in den Fabriken nicht nur gegen das Christentum polemisierte, sondern es bekämpfte.

Tief beeindruckt stellte ich fest, daß das Thema Gott einen beliebten Platz in der kommunistischen Propaganda einnahm. Man setzte alles ein, um es zu bekämpfen: die Medien, die Wissenschaft, die Menschen. Sogar der erste Kosmonaut, Jurie Gagarin, wurde nach seiner Rückkehr aus dem Kosmos als erstes gefragt, ob er denn Gott im Himmel getroffen habe. Als er dann die Frage verneinte, konnte es sich keine Zeitung leisten, diese »wichtige Erkenntnis« auf der ersten Seite auszulassen.

Wie lächerlich, dachte ich, wenn ihr doch so überzeugt seid, daß dieser Gott nicht existiert, warum dann dieser ganze Kampf? Ich war damals zu naiv, um diesen Kampf zu verstehen. Für mich war es absolut klar: wenn eine Sache nicht existiert, dann braucht nicht darüber geredet werden, vielleicht aufklärend, aber doch nicht bekämpfend. Man kämpft doch nicht gegen die Luft, obwohl sogar die Luft etwas darstellt, sie ist kein Nichts.

Die Diskussionen und der Kampf gegen die Christen, so entdeckte ich sehr bald, drängten die Christen zwar an den Rand der Gesellschaft, aber raubten ihnen keineswegs den Glauben. Ich las zwar fast in jedem atheistischen Buch von zahllosen Christen, die ihren Irrtum erkannt und ins Lager der »Vernunft« übergetreten seien, aber meine Eltern erzählten mir von einer wachsenden Gemeinde.

Ich werde den Tag sicher nie vergessen, an dem ich zum erstenmal in meinem Leben einen Versammlungsraum der Christen betrat.

Meine Mutter nahm mich zu einer Weihnachtsfeier mit. Vieles begeisterte mich an dieser Feier, aber eines schreckte mich ab – die Gebete dieser Leute. Es waren ca. 150 Leute im Raum versammelt, und sie gingen beim Aufruf zum Gebet alle auf die Knie und verharrten so etwa 20–30 Minuten auf dem harten Holzboden.

Ich kannte das Beten von zu Hause her, ich habe sogar das Vaterunser einmal auswendig lernen müssen. Aber die deutsche Sprache, in der ich es lernte, verstand ich kaum. Das Gebet war für mich bis zu diesem Zeitpunkt nur ein Stück unserer deutschen Tradition, denn auch in den Häusern der kirchenfremden Deutschen wurde oft am Mittagstisch gebetet. Das unterschied uns Deutsche von der russischen Bevölkerung. Das also hielt ich bis jetzt vom Gebet, hier aber hörte ich die mir so vertraute russische Sprache. Ich verstand die Gebete, aber ihre Bedeutung war mir nun noch fremder als vorher.

Dieses im Glauben in den leeren Raum hineinreden, das eine unsichtbare Person hören sollte, fand ich nicht einmal interessant.

Nach diesem Besuch des Gottesdienstes brachte ich das Leben der Gläubigen immer in Zusammenhang mit dem Gebet.

Dieses Beten war meiner Ansicht nach sinnlos, also war das ganze Christsein inhaltslos. Trotz dieser Schlußfolgerung kam ich aus dem Fragen nicht heraus.

Erst später wurde mir bewußt, daß es Jesus war, der mich einfach nicht losließ und immer wieder versuchte, mich zum Nachdenken zu bringen. Wie dankbar bin ich heute dafür.

Ein halbes Jahr etwa dauerte es dann, bis ich mich am 20. April 1969 entschied, falls dieser Gott meiner Verwandten tatsächlich existieren sollte, ihm zu folgen. Eine ganze Nacht rang ich mit mir und meinem Verstand. Mir war wohl klar, was es für mich bedeuten würde, Christ zu werden. Ich war es nicht zuletzt selbst, der die Christen in der Schule mit allen Mitteln herabsetzte und auslachte. Ja, ich wußte, daß ich alles, worauf ich mich gefreut hatte, aufgeben mußte: Studium, Karriere usw.

Man sagt, Lenin habe sich mit sechzehn Jahren gegen Gott entschieden, und er blieb sein ganzes Leben lang dieser Entscheidung treu. Mir fiel damals die Entscheidung für Gott auch nicht leicht. Und so lag ich in der Nacht auf meinen Knien, ich glaube es war etwa 4 Uhr morgens, und preßte es mit aller Gewalt aus mir heraus: »Gott, wenn es Dich gibt, dann möchte ich Dich kennenlernen. Wenn es Dich gibt und Du es mir absolut klarmachst, dann komme was immer kommen mag – dann möchte ich für Dich leben.«

Nach diesem kurzen Gebet wurde ich sehr ruhig. Ich schlief ein mit der Überzeugung, am nächsten Morgen im Gottesdienst der christlichen Versammlung ernst mit Gott zu machen.

## Der unvergeßliche Sonntag

Unsere Eltern luden uns Kinder jeden Sonntag ein, zum Gottesdienst mitzukommen. Ich kann mich leider an keinen Sonntag erinnern, an dem ich von mir selbst aus zum Gottesdienst gewollt hätte. Aber an diesem Sonntag, dem 20. April 1969, da geschah etwas für meine Eltern völlig Unbegreifliches. Sie konnten ausgerechnet an diesem Sonntag nicht mit in den Gottesdienst, und auch wir Kinder sollten zu Hause bleiben. Aber ich protestierte heftig und erklärte ihnen, daß ich heute unbedingt zum Gottesdienst gehen müsse. Verwundert ließen sie mich gehen.

Schüchtern betrat ich an diesem Sonntag den Saal der Evangeliumschristen-Baptisten. Im Saal selbst erschrak ich vor der Menschenmenge, die sich da versammelt hatte. Es gab praktisch keinen freien Raum zum Stehen. Eng aneinandergequetscht standen etwa 300 Personen in einem Raum, der höchstens für 150 Menschen gedacht war. Es war der letzte Tag einer vom Staat genehmigten Evangelisation, und jeder wollte noch einmal in der Gemeinschaft mit dem auswärtigen Evangelisten den Segen Gottes erfahren.

Voller Angst vor dieser Menge fragte ich mich: »Wie willst du hier, in diesem überfüllten Raum, deine Entscheidung für Christus treffen?« Zu meinem Entsetzen entdeckte ich sehr bald auch einige Beobachter aus der Schule, die sich die Besucher, besonders die Neubekehrten, gut merkten.

Die in der letzten Nacht durchkämpften Gedanken stürmten erneut auf mich ein. Ich dachte an meine Schule, an meine Lehrer und an die Schüler, die mich als den in allen propagandistischen Unternehmungen vorangehenden Klassensprecher kannten. Sie würden meine Entscheidung zunächst nicht ernst nehmen, aber später würden sie sicher mit Spott und Aggression darauf reagieren.

Ich dachte an die bevorstehenden Wahlen des Schulrates des Komsomol und sah im Geist meinen gestrichenen Namen auf der Liste der Kandidaten. Sicher konnte ich die Folgen dieser Entscheidung noch nicht völlig übersehen, aber eins wurde mir plötzlich ganz klar und deutlich: Wenn du dich jetzt entscheidest, dann verlierst du alles: deine guten Zeugnisse in der Schule, dein geplantes Studium, deine Freunde, dein bequemes Leben.

Zwei Stunden dauerte der Gottesdienst, aber ich kann

mich bis heute an kein einziges Lied, Wort oder Zeugnis erinnern. Meine Gedanken rasten wild von einer Richtung in die andere. Mir war es so bewußt wie noch nie: ich mußte jetzt die Weichen für mein ganzes Leben stellen. Ich war mir wohl klar darüber, daß ich mit der Entscheidung für Jesus nicht nur meine Schuld loswurde, die schwer auf mir lag, sondern daß ich auch einen Sinn und Inhalt für mein Leben bekommen würde. Aber das Bewußtsein, jeden menschlichen Rückhalt und jede Sicherheit zu verlieren, machte die Entscheidung so ungeheuer schwer.

Plötzlich wurde meine Aufmerksamkeit wieder zum Podium gelenkt, und ich hörte deutlich, wie der alte Bruder Sildus, ein Reiseprediger der estnischen Bruderschaft, in die Versammlung hineinrief: »Wer diesem Jesus nachfolgen will, wer mit Ihm ein siegreiches, sinnvolles Leben führen möchte, der komme jetzt nach vorne, und die Brüder (und dabei zeigte er auf die Evangelisten) werden mit ihm beten.«

Mir wurde es heiß, und meine Gedanken rasten jetzt mit größerer Geschwindigkeit durch mein Gehirn. Unbewußt versuchte ich, mich bis zur Tür durchzuschlagen, um wegzulaufen, aber in der Tür stand einer meiner Freunde, Wolodja.

Breit lächelnd schaute er mich an und sagte dann ernst: »Hans, wenn nicht jetzt, dann vielleicht nie mehr, ab morgen kann es zu spät sein.«

Ich wußte, daß Wolodja sich erst in dieser Evangelisationswoche für den Herrn entschieden hatte. Sein Dasein, sein liebevolles Lachen und seine ernsten Worte brachten den wilden Kreislauf meiner Gedanken zum Schweigen. Ich dachte noch einen Moment über seine Worte nach, dann drehte ich mich um und schlug mich buchstäblich mit aller Gewalt durch die engen Reihen der Zuhörer.

Die Tränen liefen aus meinen sonst nicht so wasserreichen Augen, und in der Mitte des offenen Kreises kniete ich nieder und schrie zu Gott, Er möge mir doch meine Sünden vergeben!

An den Inhalt meines Gebetes kann ich mich nicht mehr genau erinnern, nur die Tränenpfütze auf dem Holzboden steht mir auch heute noch vor Augen. Als ich dann mit meinem Gebet fertig war, wurde ich ruhig. Dann betete ein Bruder, und während er noch betete, erfüllte mich eine unbeschreibliche Freude. Als der Bruder mit seinem Gebet fertig war, sprang ich auf und umarmte den alten Bruder Sildus. Eine tiefe Freude und ein unbegreiflicher Friede erfüllten mein Herz. Nein, ich ahnte nicht nur, daß es einen Gott gibt, sondern von diesem Moment an wußte ich: es gibt einen Gott, Jesus Christus ist der Herr! Ich hatte lange gesucht, ich hatte eine Menge Bücher zum Thema Gott gelesen, aber sie alle gaben mir keine Antwort. Doch jetzt hatte ich Ihn erlebt.

Wie oft ist mir später dieses und eine Anzahl anderer Erlebnisse mit Gott das unerschütterliche Argument in den Diskussionen mit den Kommunisten geworden. Ich habe Gott erfahren, und deswegen behaupte ich, daß es Ihn gibt. Mein Glaube heißt Wissen.

Ich war glücklich in der Stunde meiner Wiedergeburt, mein Gesicht muß so gestrahlt haben, daß manche von meinen Bekannten, die nicht wußten, was geschehen war, mich später fragten: »Was ist denn mit dir los, du bist ja die Freude selbst.«

Und ich durfte ihnen dann voller Freude die Nachricht von dem weitersagen, der mich aus dem Schlamm der Sünde in Seine Gemeinschaft geführt hatte.

Erst später fiel mir auf, daß ich mir eigentlich nach dieser Entscheidung keine Gedanken um meine Zukunft und die auf mich wartenden Schwierigkeiten gemacht hatte. Dieses neue Leben erfüllte mich zu sehr, um an die Folgen zu denken.

## Die Zeit der ersten Liebe

Ich finde es herrlich, daß man sich an das erste Lebensjahr in der Nachfolge Jesu erinnern kann, an die ersten Schritte voller Ungewißheit, aber voller Entdekkerfreude.

Wenn ich über diese erste Zeit meines Christseins nachdenke, werde ich besonders dankbar. Unser Vater im Himmel hat mit mir, wie vielleicht nicht mit jedem anderen, viel Mühe gehabt, bis ich manches verstehen und annehmen konnte. Ich mußte vieles lernen, und in manchen Lektionen befinde ich mich auch jetzt noch. Wir haben einen wunderbaren Herrn.

Mein erstes Lebensjahr als Christ war voll Freude, Begeisterung, Segen und Frieden. Ich kann mich kaum an eine Niederlage geistlicher Art erinnern, die ich in dieser Zeit erlitten hätte. Es war wirklich ein königliches Jahr.

Die Gemeinde, in der ich zum Glauben kam, nahm mich voll mit in ihr Leben hinein. Sie gab mir alles, was ich durch meine Entscheidung für Christus verloren hatte: neue Freunde, neue Lieder, neue Aufgaben und neue Pflichten. Wie gerne würde ich diese Zeit noch einmal wieder erleben!

Es war eine herrliche Zeit, trotz aller Schwierigkeiten,

trotz aller Ungewißheit über die Zukunft. Sorgen darüber haben uns junge Christen damals nicht beschäftigt. Unser Leben hatte einen viel tieferen Sinn bekommen, so daß wir nicht mehr an unseren Beruf, und was es sonst noch an Werten in dieser Welt gab, dachten.

Wir versammelten uns als junge Leute von Haus zu Haus, oft unter dem strengen Verbot der Behörde. Die Jugendstunden wurden als Geburtstagsfeiern durchgeführt, und man feierte grundsätzlich jeden Geburtstag.

Einmal besuchten einige Sicherheitsbeamte die Jugendstunde. Sie fragten empört, ob wir nicht wüßten, daß diese Art religiöser Veranstaltungen verboten seien. »O ja«, erwiderten wir, »aber sie scheinen sich mit der Bezeichnung unseres Zusammenseins geirrt zu haben.« Als sie dann eine Erklärung verlangten, zeigten wir auf einen kleinen Jungen, der gerade zwei Jahre alt wurde, und sagten dann: »Wir feiern seinen Geburtstag.« Enttäuscht verließen die Beamten das Wohnzimmer. So gab der Herr uns eine reiche Phantasie, um unsere Stunden zu gestalten, aber auch, um Seinen Auftrag, das Evangelium in aller Welt zu verkündigen, zu erfüllen.

Gewöhnlich kamen wir zum intensiven Bibelstudium zusammen, wir lernten Bibelverse auswendig, schrieben uns Bibelarbeiten mit der Hand ab und verbreiteten sie.

Besonders viel Freude bereiteten uns praktische Einsätze bei kranken und alten Geschwistern, aber auch bei armen, alleinstehenden Leuten, denen wir dann bei dieser Gelegenheit auch die Frohe Botschaft weitersagten.

Ältere Brüder schulten uns in der Verkündigung. Im Verborgenen wurde eine Musikgruppe gegründet. Wir wollten uns auf einen totalen Einsatz für den Herrn vorbereiten. Unsere besten Vorbilder waren die für den

Herrn in den sibirischen Lagern leidenden Brüder. Sie wollten wir einmal ablösen. Das Leiden für den Herrn wurde als das größte Geschenk Gottes, als eine besondere Möglichkeit, den Herrn Jesus zu verherrlichen, betrachtet, und deswegen hat sich jeder von uns auf diesen Dienst vorbereitet. Wie dankbar bin ich später für diese Zeit gewesen, als der Herr auch mich schwere Wege führte.

Es gab kaum einen Abend in der Woche, der nicht irgendwie für die Gemeinde oder mit ihr verbracht wurde. Meine Eltern hatten manchmal Angst, ich würde vor lauter Einsatz für den Herrn die Schule vernachlässigen.

Aber auch die Schule war ein Einsatzgebiet. Ich wußte, daß es nur eine Möglichkeit gab, in der Schule ein Zeugnis zu sein, und das waren gute Leistungen. Und der Herr schenkte Gelingen – es gab kaum ein Jahr in der Schule, wie auch später an der technischen Hochschule, wo ich nicht zu den Besten meiner Klasse gehörte, trotz aller Repressalien von seiten der Lehrer. Unser Herr ist ein wunderbarer Helfer. Ich weiß noch, daß ich grundsätzlich zu jeder Prüfung mit einem kleinen Testament in der Tasche ging, im stolzen Bewußtsein: das Wort Gottes ist meine Hilfe. Und Er half!

Später ließ der Druck der Behörden nach, und wir entwickelten eine wunderbare Arbeit.

Unsere Gemeinde war eine vielsprachige Gemeinde. Jeden Sonntag wurden in drei Sprachen Gottesdienste abgehalten: Russisch, Estnisch und Deutsch. Irgendwann schlugen dann die Brüder vor, einen gemeinsamen Gottesdienst für alle Sprachgruppen als vierten Gottesdienst am Sonntag anzubieten. Man überließ das Programm dieser Veranstaltung der Jugend. Wir jungen

Brüder durften den Dienst tun. Obwohl die Botschaften sicher sehr unvollkommen waren, der Herr benutzte sie, um junge und alte Menschen in Seine Nachfolge zu rufen.

Vielleicht darf ich einmal im Rahmen dieses Zeugnisses auf diese Tatsache hinweisen. Wir brachten unsere Botschaften aus dem direkten, konkreten Erleben mit Gott, denn das Wort wurde im Alltag zu Leben. Nicht nur durchdacht, sondern erlebt brachten wir es den Zuhörern. Es wurde ein Teil von uns, und dann schlug es ein. Es traf ins Schwarze, in die Herzen der Sünder, und keine Angst vor den wütenden Kommunisten konnte sie von einer Entscheidung abhalten.

Welch ein Geschenk für die Gemeinde Christi könnten die Prediger und Theologen werden, wenn sie das so gut durchgearbeitete und durchdachte Wort Gottes auch persönlich erleben würden.

## Die Versuchung

Belebend frisch ist der Frühling in Estland. Wenn erst das Eis gebrochen ist, wenn der lange Winter seine Schneedecken wieder zusammenrollt und nach Norden zieht, dann ist es wunderbar zu beobachten, wie die ganze Natur aufwacht. Die Nächte werden kürzer, die Erde bekommt wieder mehr Sonne, und alles lebt auf. Auch die Menschen erleben so etwas wie eine Neubelebung.

Es war solch ein Frühling, voller Leben, Freude und Sonne. Um unser Haus herum begann alles zu wachsen: die Apfelbäume, die Jasminsträucher, die Gartenpflanzen.

Es war aber ein besonderer Frühling, denn in dieser Zeit führte mich Jesus Christus besonders schwere Wege. Es begann damit, daß ich in manchen Situationen, in denen ich mich früher sicher an die Hand Jesu klammern konnte, plötzlich merkte, daß die so vertraute Hand nicht mehr da war. Hin und wieder fand ich die gewohnte Nähe und Wärme Jesu wieder, aber die Intensität der Beziehung zum Herrn war nicht mehr da.

An die meisten Situationen dieser für mich sehr schweren Zeit kann ich mich nicht mehr erinnern. Aber wie jedes Kleinkind, wenn es selbständig gehen, handeln und denken lernt, manche Erfahrungen für das ganze Leben behält, so werde ich sicher nie eine Lektion vergessen, an der ich gezwungenermaßen teilnahm.

Es war ein wunderbarer Maiabend. Ende Mai stellen sich die meisten sowjetischen Schulen auf die Sommerferien ein, und man feiert dann jedes Jahr gemeinsam den Abschied in den Sommer. Zu solch einer Party kamen wir zusammen.

Bisher hatte ich nach meiner Bekehrung konsequent solche Veranstaltungen gemieden. Hier aber sagte ich plötzlich zu. Als ich dann an den reichgedeckten Tischen saß und mich fröhlich mit meinen Klassenkameraden über den warmen Frühling, die neue sowjetische Rakete und ähnliches Durcheinander unterhielt, gefiel mir plötzlich die Atmosphäre dieser Feier. Unbewußt verglich ich diese Party mit unseren Feiern in der christlichen Jugendgruppe, wo wir oft in einem kleinen Zimmer eng aneinandergequetscht an armgedeckten Tischen saßen. Im Vergleich mit den engen Räumen wirkte dieser große, helle Saal der Aula faszinierend. Meine Kameraden merkten, daß mir der Abend gefiel, und sie versuchten mich nun mit allen Mitteln, in die Freude der Feier mit hineinzunehmen. Sehr bald merkte ich, wie sie ab und zu verschwanden, um sich, wie ich es von früher wußte, mit einem Schluck Wodka zu stärken; denn der Sekt auf dem Tisch reichte offensichtlich nicht aus. Merkwürdigerweise fand ich diese Ausgänge gar nicht so schlimm, denn die Jungen wurden immer fröhlicher. Auch die Mädchen machten fleißig mit. Sie fanden mich dann auf einmal alle sehr interessant, was mir natürlich sehr behagte, und so landete ich nach einer kurzen Diskussion in der Tanzrunde. Und ich vergaß mich.

Erst als ich dann nach Mitternacht die betrunkene Gesellschaft verließ, um müde nach Hause zu gehen, kam die Frage in mir auf: »Hans, wo warst du?« Es schien mir, als würde der Herr selbst mich fragen. Mit diesem Ereignis begann ein neues Kapitel in der Schule Gottes. Immer öfter mußte ich entdecken, daß das Leben als Christ nicht ohne Kampf und nicht nur auf sonnigen Höhen verläuft. Ich wußte, daß ich es lernen mußte, selbständig zu gehen. Ich hörte oft in der Predigt, daß Gott uns in Situationen hineinführt, in denen er uns scheinbar allein läßt, um uns mündig zu machen. Die älteren Brüder erzählten von solchen Zeiten in ihrem Leben. Alle betonten, daß diese Erfahrungen für sie sehr lehrreich gewesen waren. Nachdem sie diese Zeit der Krise überstanden hatten, stellten sie immer wieder fest, daß sie im Glauben gewachsen waren.

Bei allem Trost, den mir diese Berichte gaben, fand ich das Stolpern gar nicht so lehrreich. Immer wieder versagte ich. Mein Verstand meldete sich erneut und so massiv, daß ich manchmal angesichts meiner unbeantworteten Fragen im Gebet zu Gott schrie, aber keine Antwort bekam. Ich ging zu den Brüdern. Aber die meisten Brüder waren einfache Arbeiter, keiner von ihnen hatte sich jemals mit der ihrer Meinung nach verrückten Philosophie beschäftigt. Marxismus war für sie eine gottesfeindliche Ideologie, und damit war die Sache abgetan. Sie sagten mir, man müsse nicht über Marx und Lenin nachdenken, sondern über die großen Taten Jesu.

Ich versuchte es, aber die Fragen, die unbeantwortet blieben, kamen immer wieder zurück. Ich fand keine Ruhe und keinen Frieden. In dieser Verzweiflung ging ich zu meinen alten Freunden. Sie diskutierten gerne mit mir. Die Abneigung der Brüder meinen Fragen gegenüber, die mich so sehr beschäftigten, führte dazu, daß ich mich ihnen verschloß. Ich war es ja schon von früher her in der Beziehung zu meinen Eltern gewohnt, ein Doppelleben zu führen. In meiner Verblendung sah ich nicht, welche Gefahren in dieser geistlichen Isolation lauerten. Es hat wahrscheinlich nur einen gefreut – den Feind der Menschenseelen, den Satan.

In dieser Isolation den Brüdern gegenüber fand ich die Gemeinschaft mit den alten Freunden aus der Schule besonders wohltuend. Sie diskutierten mit mir, zwischendurch erzählten sie mir von ihren Plänen, ihren Beziehungen zum anderen Geschlecht und von den rauschenden Parties. Bald fand ich dieses alte Leben gar nicht so abartig.

Wenn ich dann zu Hause war und mich die Familie und auch die Gemeinde voll in Anspruch nahm, vergaß ich für eine kurze Zeit meine Fragen und Zweifel. Aber dann kamen die schlaflosen Nächte und mit ihnen erneut Fragen, Fragen, Fragen . . .

Zudem allen lebte plötzlich meine Sexualität massiv auf. Die Freunde von der technischen Schule, auf der ich inzwischen studierte, lebten schon lange in intimen Verhältnissen. Sie erzählten mir von dem schönen Erlebnis der Liebe. Ist Liebe Sex? – fragte ich mich. Die Bibel sagt: Gott ist Liebe.

Vor meiner Bekehrung war ich mit Jugendlichen zusammen, die verschiedene abartige Praktiken betrieben. Aber nach meiner Bekehrung brauchte ich das ganze nicht mehr. Nun aber, besonders in der Gemeinschaft mit den ungläubigen Freunden, lebte das alles auf. Ich versuchte, die Liebe Gottes mit den Erfahrungen der Liebe meiner Freunde zu vergleichen. Aber schon lange erlebte ich Gott nicht mehr so intensiv wie im ersten Jahr meiner Bekehrung. Mein Kampf, um es kurz zu machen, dauerte nicht lange. Ich gab der Versuchung nach. Nein, so versündigen wollte ich mich doch nicht, daß ich eine intime Beziehung eingehen würde, denn Christ wollte ich bleiben. Ich wollte und konnte nicht zurück in die Welt. So beschloß ich, zu den alten Praktiken, die ich vor meiner Bekehrung kennengelernt hatte, zurückzugehen. Dabei wählte ich, wie ich dachte, die harmloseste. Das sah kein Mensch, erfuhr kein Christ, und Gott, ja, der schwieg sowieso.

So lebte ich in meinen heimlichen Sünden und blieb nach außen hin ein feiner Christ. O nein, leicht war dieses Leben nicht. Es stürzte mich vielmehr in einen inneren Kampf, der kaum zu beschreiben ist.

Doch der Herr läßt Seine Kinder nicht einfach vor die Hunde gehen. Der Heilige Geist arbeitete an mir, und es gelang ihm auch manchmal, mich zurückzugewinnen, aber dann sackte ich wieder ab. Ich hatte auch bald erkannt, in welch einem Zustand ich mich befand, aber ich konnte nur mit Römer 7 sagen: »Ich elender Mensch . . .« In den Stunden, in denen ich glaubte die Vergebung erfahren zu haben, hatte ich nur den einen Wunsch, zu sterben, denn die Angst vor dem erneuten Versagen war unendlich groß.

Der Geist Gottes trieb mich, mein Vergehen zu bekennen, aber das wollte ich nicht; denn ich war inzwischen ein begehrter Jugendleiter der christlichen Versammlung. Die Brüder schätzten mich als einen tiefgläubigen Mitarbeiter. Ich aber trug eine Maske, und niemand schien es zu merken.

Manchmal wünschte ich, einer der Brüder würde mir meine Sünde vor die Augen führen, aber der Heilige Geist schien den Brüdern meinen Zustand zu verschweigen. Masken tragen fiel mir nicht schwer, ich hatte es im Kindertheater der Schule gelernt. Nein, bekennen wollte ich nicht.

Ich wollte zumindest nach außen hin der »geistliche Hans« bleiben. Doch in der Sünde lebend, kann man nicht geistlich sein, denn Fleisch und Geist vertragen sich nicht. Man kann sehr wohl Sünde verbergen, aber geisterfüllte Menschen werden sehr bald merken, daß man leer und trocken ist. Es war nicht zuletzt das gläubige Mädchen, mit dem ich trotz meines Versagens ein gutes Verhältnis hatte. Sie stellte eines Tages fest, mit mir würde es nicht mehr so ganz stimmen. Manchmal weinte sie nach meiner Predigt, und wenn ich sie dann nach einem Grund fragte, sagte sie enttäuscht: »Hans, auf der Kanzel stand nicht der Herr Jesus, sondern du, der Herr hat nicht gesprochen.« Natürlich wußte ich um die ganze Tragik meiner Lage, aber mich zu offenbaren – nein, das schaffte ich nicht. So vergingen Monate.

Satan wartet nicht. Er setzt die ganze Kunst seiner Verführung ein, wenn er merkt, daß er ein Kind Gottes für sich gewinnen kann. Das Studium selbst machte mir keine Mühe, aber die Direktion der Schule ließ mich nicht in Ruhe. Lange Gespräche über meine Person mit Angeboten einer Ausbildung und bester Karriere waren an der Tagesordnung. Ich sollte Kommunist werden. Sie würden alles hinnehmen, auch wenn ich dabei im Geheimen meinen Glauben behalten würde. Schließlich nahm sich auch das Stadtkomitee des Komsomol meiner Person an. Sie stellten mir eine Bedingung, die ich erfüllen sollte, wenn ich das Studium beenden wollte. Ich sollte zu jedem großen Feiertag ein Referat vorbereiten und halten, ob ich davon überzeugt sei oder nicht.

Aus Angst, das Studium zu verlieren, ging ich auf diese Forderung ein, ohne zu ahnen, welche Folgen das haben würde; denn in der Vorbereitung der Referate mußte ich mich erneut mit dem Stoff der marxistischen Ideologie auseinandersetzen. Und nun tauchten die alten Fragen auf, nur mit dem Unterschied, daß ich sie dieses Mal einfach beiseite legte, in der Hoffnung, eine Antwort auf diese Fragen zu erhalten, wenn ich wieder einmal ein siegreiches Leben mit dem Herrn Jesus leben würde.

Vielleicht war dieser Entschluß damals meine Rettung.

Dank dieses Kompromisses konnte ich also mein Studium fortsetzen. Es wäre ja alles noch irgendwie gegangen, wenn nicht die Brüder der Gemeinde von meiner Tätigkeit erfahren hätten. Ich wurde direkt gefragt, ob ich mit den Kommunisten zusammenarbeiten würde, denn ein Referat auf einer Jahreskonferenz der Miliz zu halten, wie es einmal der Fall war, wurde nicht einmal jedem jungen Kommunisten ermöglicht.

Wie gut konnte ich die Brüder verstehen, und ich versprach ihnen, trotz aller Folgen diese Arbeit nicht mehr zu tun. Nach der Absage dieser Tätigkeit begannen wieder die alten Gespräche mit der Direktion. Aber ich blieb fest, denn Jesus weiter verleugnen, nein, dann lieber sterben, dann lieber ein Leben in der Verfolgung, ohne Ausbildung und Zukunftschancen.

Es war eine schreckliche Zeit, wie jeder Zustand eines Christen als schrecklich bezeichnet werden kann, wenn er inkonsequent sein Christsein auslebt. Ich sollte den Versuchungen des Teufels widerstehen und wollte das alte Leben nicht aufgeben. Ich hatte Angst, mich zu blamieren. Wenn ich bloß daran dachte, daß einer der Brüder erfahren würde, in welchen Sünden ich lebte, dann zuckte ich zusammen und lebte in meiner Isolation weiter. Ich war sicher kein kalter Christ, aber ein ungehorsamer, ein lauer, ein Laodizäer, und diese Art von Christen sind unserem Herrn widerlich.

Eines aber kann ich mit Freuden und mit großer Dankbarkeit sagen: der Herr hat mich in dieser Zeit nicht laufen lassen. O nein, wir werden von unserem Gott nie hören: »Laß ihn laufen, er wollte nicht anders.« Gott geht uns nach.

Und dann kam endlich der Tag, den ich als den wichtigsten nach meiner Bekehrung bezeichne. An diesem Tag lernte ich, allen Stolz, mein »Ich« an das Kreuz unseres Herrn Jesu zu nageln.

Es war spätabends. Ich begleitete nach einer Gemeindestunde die befreundete Schwester nach Hause. Zum Abschied sagte ich ihr: »Bete für mich, ich habe heute noch ein sehr entscheidendes Gespräch.« Zwei Tage hatte ich vor diesem Abend gefastet, nichts gegessen, nichts getrunken. Ich bat Gott, meinen Stolz zu brechen. Und dann saß ich an dem Abend bei einem lieben Bruder, der mich vom ersten Tag meines geistlichen Lebens an kannte und begleitet hatte, und bekannte ihm meinen Zustand. Ich bat den Herrn um Vergebung, und neue Freude strömte in mein Herz. Als ich dann gegen Mitternacht nach Hause ging, spürte ich wieder die mir früher so vertraute Hand meines Herrn. Sie war wieder da!

Es war eine schwere Zeit, aber ich lernte zu sterben, damit Christus in mir Gestalt gewann.

## Leidenswege sind Segenswege

Ich kann mich noch gut an manche Stunden erinnern, in denen wir jungen Brüder zusammensaßen und für die Brüder in den Arbeitslagern und Gefängnissen beteten.

Sehr oft entstand nach solch einer Gebetsgemeinschaft ein intensives Gespräch über die Bedeutung der Leiden für den Herrn. Daß die Leiden für Jesus Christus nötig waren, das war uns bewußt, obwohl wir den tiefen Sinn nicht verstanden. Es war uns klar, daß die Zeit des Leidens auch für uns, die wir noch jünger waren, sehr bald kommen würde. Wir wollten diesen Leiden nicht unvorbereitet in die Augen schauen. Ich habe schon erwähnt, mit welchem Eifer wir die Bibelverse, aber auch Lieder auswendig lernten für die Zeit, in welcher kein geschriebenes Wort Gottes mehr vorhanden sein würde.

Manchmal hörten wir Berichte von der sogenannten Gehirnwäsche, der viele Christen unterzogen wurden und nach welcher sie dann am Ende ihr Handeln nicht mehr selbst bestimmen konnten. Dieser Gefahr entgegenschauend, versuchten wir unser Unterbewußtsein dem Herrn zur Verfügung zu stellen, damit er es fülle und uns auch dann trage, wenn wir selbst nicht mehr weiter könnten. Vielleicht werden die Christen in Rußland oft als Fanatiker bezeichnet, weil sie wirklich fanatisch an dem festhalten, was sie kennengelernt haben.

Nein, es wurden keine Leidensseminare abgehalten, es geschah einfach von selbst. Wenn wir zusammenkamen, sprachen wir davon. Jeder von uns, ich kann das sicher von dem Kreis sagen, in dem ich aufgewachsen bin, rechnete nicht nur damit, einmal den Leidensweg zu gehen, sondern stellte sich ganz bewußt auf diesen Dienst für den Herrn ein. Wir sprachen damals von der Mission des Leidens. Unser Wunsch war es, einmal von Gott diesen Auftrag zu erhalten. Mein Freund Peter Boltunow sagte manchmal: »Ich kann mir diesen Dienst nicht zumuten, aber wenn der Herr ihn mir zumutet, dann möchte ich ihn mit Freuden tun.« Und so dachten wir alle.

Für uns junge Brüder ließ die Zeit der Leiden nicht lange auf sich warten. Wir wurden entsprechend dem Gesetz bereits mit 18 Jahren zum Militärdienst der Sowjetarmee einberufen.

Sicher ist das Militär kein Arbeitslager. Aber diejenigen, die als Christen in die sowjetische Armee gegangen sind, werden sicher die Grausamkeit dieser Zeit bestätigen. Für uns, die wir uns für eine Mission des Leidens vorbereitet hatten, war das sowjetische Militär die erste große Prüfung; denn alles bis dahin erlebte an Repressalien, Spott und Verfolgung war nichts im Vergleich zu dem, was der Militärdienst mit sich brachte.

Gerade in dieser Zeit, in der ich einberufen wurde, im Jahr 1974, hörte man immer mehr Berichte von Grausamkeiten, die an Christen verübt wurden. Manche von den Brüdern, die ihren Glauben bezeugten, kamen nicht mehr zurück, und die zurückkamen, kehrten meist, wie auch ich, als Invaliden zurück. Nur selten berichtete der eine oder andere Bruder von einer ruhigen Militärdienstzeit. Diese Berichte brachten einen Ernst mit sich; man verabschiedete sich von den Brüdern, als würde man sie nicht wiedersehen. Es war für mich immer ein besonderes Ereignis, einen solchen Abschiedsabend mitzuerleben.

Im Mai 1974 bekam ich meinen Einberufungsbefehl. Vor der Kommission sagte ich dem Dienst mit der Waffe ab und bekannte mich zu Christus. Ich bat die Kommission, mich zu einem Dienst einzustellen, bei dem ich nicht zur Waffe greifen müsse; denn, so sagte ich ihnen, einen Dienst für mein Vaterland abzuleisten, wäre ich grundsätzlich bereit.

Diese Kommission gab leider keine Antwort. Und so fuhr ich am 13. Mai 1974 ins Ungewisse. Neben einigen alten Klamotten nahm ich auch ein Johannesevangelium mit, das ich vorher geschickt versteckt hatte. Bereits in unserer Heimatstadt wurden unsere Sachen untersucht, aber der Herr schlug die Augen der Beamten mit Blindheit, und das kleine Evangelium, in einer Seifendose verpackt, wurde nicht entdeckt. Dieses erste Erlebnis mit meinem Herrn hat mir meine Angst genommen. Als wir dann nachts nach Tallin, der Hauptstadt der Republik Estland fuhren, betete ich während der Fahrt, der Herr möchte mich doch in der Zeit des Dienstes auf irgendeine Weise gebrauchen, um Seinen Namen zu verherrlichen. Im Gebet bekam ich neuen Mut und eine große Zuversicht.

In den drei Tagen, die wir in Tallin verbrachten, spürte ich die Nähe meines Herrn so deutlich, daß ich immer wieder zum Papier griff und meine Gedanken in Form von Gedichten niederschrieb. Wie schade, daß alle diese

Gedichte in den Archiven der Kommissare verschwanden. Doch bei allem Segen, den ich in diesen drei Tagen in Tallin erlebte, sind das mit Sicherheit die schwierigsten Tage in meiner gesamten Militärzeit gewesen. Es war der harte Kampf mit meinem eigenen Ich. Ich wußte nicht, was der Herr mir alles in der Zeit zumuten würde, aber ich hatte eine Anzahl Berichte gehört, und ich war gut über die Zustände in der Armee informiert. Sollte ich alles aufgeben? Sollte ich die Möglichkeit einkalkulieren, nie wieder zurückzukehren?

Alles aufgeben, das ist immer schwer, auch wenn man kaum etwas besitzt. Aber wir Menschen sind nun mal so und glauben, daß nur ein gesichertes Leben, eine überprüfbare Zukunft einen Wert hat. In diesen drei Tagen entschied ich mich nach langem Ringen dann doch, den Weg so zu gehen, wie der Herr ihn zeigen würde, auch bis in den Tod hinein.

Eine große Hilfe, diese Entscheidung zu fällen, leistete mir mein kleines Johannesevangelium. Wenn ich dann auf die Toilette ging, verbrachte ich meine schönsten Minuten beim Lesen des Wortes Gottes. Und das gab mir neue Kraft.

Die drei Tage in Tallin waren schnell vorbei, bald kamen unsere Begleitoffiziere, und wir wurden zum Bahnhof gebracht. Niemand wußte, wohin es ging. Wir fragten die Offiziere, aber sie schwiegen. Erst im Zug erfuhren wir, daß es nach Moskau ging.

In Moskau erbaten sich die Jungen bei den Offizieren die Erlaubnis, Wodka einzukaufen. Nach langem Zögern erlaubten sie eine geringe Menge. Aus der geringen Menge wurden zwei Kisten. Und als wir dann im nächsten Zug saßen, in Richtung Zentralasien, ging die Trauerfeier los. Sehr bald verwandelte sich unser

Waggon in eine wilde Kneipe. Die Mehrheit der Neueinberufenen waren Esten. Als sie dann ihr Reden und Verhalten durch den vielen Wodka nicht mehr kontrollieren konnten, begannen sie über die verfluchten Russen, über die Okkupanten, Ausbeuter und Faschisten zu schimpfen. Keine Ermahnung der auch schon betrunkenen Offiziere half. Es kam dann zu Schlägereien und ging schrecklich zu. In diesem wilden Durcheinander erfüllte mich ein großer Frieden. Ich versteckte mich auf einer oberen Liege, drehte mich zur Wand, holte mein Evangelium heraus und las. Ich glaube, es war das 17. Kapitel des Johannesevangeliums, das Gebet meines Herrn.

Einem Offizier fiel meine stille Anwesenheit auf. Er sprach mich darauf an, warum ich nicht trinken würde. Darauf antwortete ich ihm, ich habe es nicht nötig, meine Gefühle und Ängste auf diese Weise zum Schweigen zu bringen. Anscheinend hat diese Antwort ihn beeindruckt, denn später hat er mir manchmal geholfen. Die ganze Nacht wüteten die Esten im Waggon, erst gegen Morgen wurden alle etwas ruhiger. Einer der zwei Begleitoffiziere verriet uns jetzt unseren Bestimmungsort. Wir fuhren nach Kuibischew, einer Millionenstadt an der Wolga. Wir bekamen auch mit, daß wir für eine Kompanie der Atomabwehr bestimmt waren. Mein ganzer Traum, ich würde in Folge meiner Äußerung vor der Kommission in eine Arbeitskompanie kommen, zerschlug sich in einem Augenblick. Voller Spannung wartete ich jetzt auf das, was auf mich zukommen würde.

Als wir auf dem Bahnhof in Kuibischew ausstiegen, schaute ich mir das alte Gebäude des Bahnhofs lange an, und der einzige Gedanke, der mich dabei bewegte, war, ob ich noch irgendwann über diesen Bahnhof nach Hause kommen würde.

Ich dachte an meinen Entschluß, dem Herrn bis zum Äußersten zu folgen, und bei diesem Gedanken erfüllte sich mein Herz mit Freude, wie schon so oft in den letzten Tagen.

Ich möchte rückblickend sagen, daß ich niemals in meinem Leben diese Zeit mit allen Kämpfen und Leiden vermissen möchte, denn sie hat mich entscheidend geprägt. Sie hat aus mir keinen Glaubenshelden gemacht, auch ist mein Heiligenschein nicht größer geworden. Ich habe nur meinen Herrn ein wenig besser kennengelernt, und das sind die wertvollsten Erfahrungen.

## Gott weiß, warum wir leiden müssen

Die Kaserne der Atomabwehrkompanie lag mitten in der Großstadt Kuibischew. Diese Tatsache hat uns, die wir neu nach Kuibischew kamen, sehr erfreut. Wie groß mag später bei einigen die Enttäuschung gewesen sein, als sie dann in den zwei Jahren Dienst, trotz der Lage der Kaserne, keinen einzigen Zivilisten zu sehen bekamen. Ich hatte, nachdem sich das vier Meter hohe Tor hinter uns schloß und in jeder Richtung nur noch der drei Meter hohe Betonzaun zu sehen war, den Eindruck, von der ganzen Welt abgeschnitten zu sein.

Gleich in der zweiten Stunde unseres Aufenthaltes in der Kompanie wurden wir alle registriert, dann mußten wir unsere Sachen abliefern (die wir nie wieder gesehen haben), und dann zum Schluß wurde uns eine Glatze geschoren – welch ein erniedrigender Akt!

Nachdem wir solch eine unerwünschte Frisur bekommen hatten, führte man uns in die Sauna. Hier sollten wir unsere letzten Zivilsachen ablegen. Mir hatten die bis hierher geschehenen Prozeduren nicht viel ausgemacht, nun aber sollte ich mich möglicherweise von meinem wertvollsten Besitz, dem kleinen Johannesevangelium, verabschieden. Tief bewegt bat ich den Herrn, mir das Wort des Lebens zu erhalten. Und dann geschah ein Wunder. Einer der uns bedienenden Soldaten kam auf unsere Ecke zu und sagte uns, daß wir nie mehr in diesen Raum zurückkehren würden. Er wäre aber bereit uns behilflich zu sein und würde die uns wertvollen Sachen verstecken. Mit tiefer Dankbarkeit gab ich ihm meine Uhr und die Seifendose mit dem Johannesevangelium.

Nach der Sauna wurden wir dann in einen anderen Raum geführt, und jeder von uns bekam dann eine grüne Uniform, die den meisten nicht paßte. Dazu noch schwere Stiefel und ein paar Fußlappen, denn Socken gab es dort nicht.

Es war ein lustiges Bild, als wir uns dann anschauten, denn manche waren so verändert, daß man sie kaum wiedererkannte.

Fast alle hatten ihre ersten Schwierigkeiten, die Fußlappen richtig um den Fuß zu binden. Ich lernte diese Kunst noch zu Hause bei meinem Vater und hatte deswegen etwas mehr Zeit, in der ich fieberhaft nach einem Versteck für mein Johannesevangelium suchte. Dann schenkte mir der Herr eine Idee. Die breiten Stiefel und die langen Fußlappen boten ein ideales Versteck. Glücklich und zufrieden verließ ich die Sauna. Ich hatte trotz der scharfen Kontrolle mein Evangelium behalten. Gott, der Herr, hatte mir geholfen.

Die ersten vier Tage unseres Aufenthaltes vergingen in einer unwahrscheinlichen Eile. Wir mußten um vier Uhr aus dem Bett, dann trainierten wir, in 45 Sekunden aus dem Bett zu steigen und uns voll anzuziehen. Die meisten von uns schafften es nicht, in einer so kurzen Zeit fertig zu sein. Diese wurden dann bestraft, gedrillt, bis es keinen mehr gab, der mehr Zeit brauchte.

Drei Minuten bekamen wir dann für die Garderobe, und wehe, wenn einer von uns mit einem schmutzigen Kragen oder ungeputzten Stiefeln vor dem Unteroffizier erschien.

Jeden Morgen hatten wir eine Stunde Sport mit 5–10 km Langlauf. Im Laufe des Vormittags bekamen wir dann unsere Gehirnwäsche in Politik und kommunistischer Ideologie. Dabei waren die Kommissare mit unserer Gruppe, die aus Estland kam, besonders streng, denn sie kannten die feindliche Gesinnung der Esten, wie auch der meisten Nationalminderheiten, gegenüber dem sowjetischen Gedankengut. Nachmittags ging es dann auf die Übungsfelder. So verlief Tag für Tag. Keine Pause – nur Drill, Drill.

Wir durften keine Radiogeräte besitzen, keine Bücher und Zeitungen lesen, außer diejenigen, die von der Kompanie angeboten wurden. Jede Woche einmal mußten wir uns einen ideologischen Film ansehen. Bei allen Seminaren, Filmen, Vorträgen und Schulungen war die Teilnahme Pflicht. Man versuchte, aus uns den eigenen Willen herauszuschlagen. Manche hielten es nicht aus und begingen Selbstmord. Ich bekam nach zwei Monaten offene Magengeschwüre. Aber niemand achtete darauf. Diese grausame Zeit erstreckte sich auf die ganze Zeit der Grundausbildung: sechs Monate lang. Danach wurde es für die meisten ein wenig leichter.

Doch nun zurück. Als die ersten vier Tage vorbei waren, wurde ich plötzlich zum politischen Kommissar gerufen. Er sprach mich auf meinen Glauben an und drückte sein Bedauern darüber aus. Mit diesem Gespräch brach für mich eine schwere Zeit an. Stundenlange Verhöre – es schien, als ob die Kommunisten immer noch Hoffnung hatten, mich in ihr Lager zurückzugewinnen. Zunächst gab es nur Gespräche. Diese fürchtete ich nicht, denn ich war es mehr oder weniger gewohnt, über meinen Glauben zu sprechen, und an ideologischer Bildung fehlte es mir auch nicht. Aber dann kam die große Wende. Wir mußten nach zwei Monaten Grundausbildung den Eid ablegen. Das geschah so: In einer festlichen Veranstaltung wurden die Soldaten einzeln mit Namen aufgerufen in die Mitte des Platzes zu kommen, wo sie vor der Kompaniefahne niederknieten, sie küßten und dann den Eidtext vorlasen und unterschrieben. Der Text beinhaltete eine totale Auslieferung des eigenen Willens an die Führung der sowjetischen Regierung, egal, welche Befehle sie auch geben würde, der Soldat müßte sie im Interesse des sowjetischen Volkes erfüllen.

Unmöglich konnte ich solch eine Erklärung unterschreiben, denn im Falle eines Ungehorsams unterschrieb ich mit eigener Hand das Urteil. Ich lehnte also ab, diese Erklärung zu unterschreiben und erschien erst gar nicht in der Veranstaltung. Gleich nach dieser Versammlung wurde ich zu dem Oberkommandeur der Streitkräfte gebracht. Es war ein alter General, klein von Gestalt, mit einem heuchlerischen Gesicht. Er sah mich prüfend an, und dann fragte er mich lächelnd: »Soldat Reimer, Sie scheinen gar nicht dumm zu sein, Sie bekamen eine gute Ausbildung, sind ein gebildeter und intelligenter Mann. Ich habe über Sie viel Positives gehört. Ich bitte Sie, klug zu sein und dieses Spiel mit dem Feuer aufzugeben. Wir schätzen Sie und möchten

Ihnen diesen Spaß von heute morgen (damit meinte er sicher mein Fehlen in der Festversammlung) verzeihen. Seien Sie klug und unterschreiben Sie bitte jetzt hier die Erklärung, und damit ist alles wieder gut. Sie dürfen gerne weiter an Gott glauben und Ihren Glauben für sich behalten.« Irgendwie gefiel mir dieser General, und deswegen wagte ich, ihn zu fragen, ob er denn von seiner Ideologie, von seinem Atheismus, überzeugt sei. »Sicher«, meinte er. »Sehen Sie«, antwortete ich ihm darauf, »dann verstehen Sie mich auch gut, denn ich bin leider von meiner Sache auch überzeugt.« – »Gut«, sagte er, »Sie dürfen gehen.«

Und ich ging, ging in eine Zeit hinein, von der ich nie geträumt hätte. Verhöre, Spott von den Soldaten und Offizieren. Lange Zeit versuchte man es damit, daß man mir kein Essen übrigließ. Ich mußte hungern. Als ich dann mit meinen Magengeschwüren ins Hospital gebracht wurde, stellte der mich untersuchende Arzt fest: Magen in Ordnung, der Soldat Reimer will bloß den Dienst versäumen. Ich wurde zurückgebracht, obwohl mir das Blut oft aus dem Mund lief. Es war eine schwere Zeit – aber zugleich eine gesegnete Zeit. Es ist im Rahmen dieses Zeugnisses kein Raum, um über all die Führungen und Wunder zu berichten, die der Herr tat. Wenn ich dann wieder eine kurze Pause hatte, wo ich mich irgendwo verstecken konnte, um allein mit Gott zu sein, fühlte ich Seine Nähe so stark, daß ich oft einfach in Tränen ausgebrochen bin. Ein Ereignis möchte ich hier wiedergeben:

Es war an einem trüben Herbsttag. Die Truppe, in der ich mich befand, wurde aus der Kaserne ausgesiedelt und in ein Zelt verlegt. Es war kalt, im Zelt gab es keine Heizung. Wir waren den ganzen Tag im Einsatz, und als wir dann ins Zelt kamen, reagierten sich ein paar ältere Soldaten an den jüngeren ab. Plötzlich bemerkte mich einer von ihnen im Zelt. »He, Baptist«, schrie er mich an, »was ist es kalt!« Er schimpfte über Gott und über alle Heiligen. Ich schwieg. Dann kam er zu mir, riß mich in die Mitte des Zeltes, warf ein Seil um einen Balken und sagte dann voller Wut: »Du hast ja doch kein gutes Leben – hier erhäng dich. Da oben bei Gott ist es nicht so kalt, vielleicht nimmt Er dich auf.« Alle lachten. Im kalten Zelt entstand eine gute Stimmung. Ich weiß nicht mehr genau, was ich ihm geantwortet habe, aber er schob mich wieder zurück in die Ecke. »Na, falls dir so ein Leben gefällt – dann bitte!«

Dieser Zwischenfall hat mich sehr betrübt. Nicht die Tatsache, daß die Soldaten mein Leben als sinnlos bezeichneten, auch nicht der Spott tat mir so weh – sondern die Tatsache, daß ich ihnen meinen Standpunkt nicht klarmachen konnte, betrübte mich. Aber als ich dann von Bett zu Bett ging – jeder weigerte sich, in meiner Nachbarschaft zu schlafen – und dann plötzlich einer der älteren Soldaten mich ansprach und mir einen der besten Plätze anbot, da merkte ich wieder, daß Gott da war und für mich sorgte. Ich hatte dann mit diesem Soldaten ein gutes Gespräch.

Ein anderes Beispiel:

Ich war ungefähr vier Monate im Dienst, als unser Oberst die ganze Kompanie zusammentrommelte und mich vor den eintausend Soldaten herausrief. Er nannte dabei nicht meinen Namen, sondern befahl: »Der Baptist soll aus den Reihen heraustreten«. Als ich vor der Kompanie mit hocherhobenem Kopfe stehenblieb, zeigte er auf mich und sagte spöttisch: »Diese Gläubigen sind potentielle Feinde des Volkes.« Als er seine Rede beendet hatte, lachte die ganze Menge mich aus. Ich blieb vor den Soldaten stehen, und er rief einen weiteren Soldaten nach vorne. Diesmal war es kein Gläubiger, sondern ein Verbrecher, der wegen seiner Verbrechen schon mehrere Gefängnisstrafen hinter sich hatte. Diesen stellte er mir gleich. Wir beide, so meinte er, wären die schlimmsten in der Kompanie.

Doch Gott segnete diesen Tag, der für mich alles andere als angenehm war, denn jetzt gab es keinen Soldaten mehr in der Kompanie, der nicht über meinen Glauben informiert war.

Ich habe dem Herrn später sehr oft für diesen Tag gedankt. Dieser Verbrecher, vor dem nicht nur die Soldaten, sondern auch die meisten Offiziere Angst hatten und den sie nicht zu strafen wagten aus Angst vor seinem Vater, einem hohen KGB-Offizier, wurde mein Freund. Gleich nach der erwähnten Stunde kam er auf mich zu, reichte mir die Hand und bot mir seine Freundschaft an. Seit dieser Zeit wagte es kein anderer Soldat mehr, mich zu schlagen, und kein Offizier wagte es, mich zu bestrafen.

Andererseits bewirkte diese öffentliche Blamage, daß viele fragend wurden und interessierte Soldaten mich aufsuchten. Ich habe eine Reihe sehr guter Gespräche über den Glauben und vor allem über unseren herrlichen Herrn Jesus führen dürfen.

Dieses sind nur einige Erlebnisse aus den beiden Jahren, die aber vielleicht ausdrücken, daß es kein sinnloses Leid gibt. Wenn wir unseren Herrn bekennen, wird Er sich verherrlichen, auch in Situationen, wo menschlich kaum eine Chance besteht.

Der politische Kommissar war wütend! Seit Monaten hatten alle seine besten Propagandisten keinen Erfolg mit dem sturen Baptisten. Als ich sein Zimmer betrat, schrie er mich an: »Nie mehr werden Sie ihre Eltern, Freunde, Glaubensgenossen sehen. Nie mehr, wenn Sie Ihre Meinung nicht ändern, werden Sie hier herauskommen. Das garantiere ich Ihnen.« Er berichtete mir voller Wut über den eingeleiteten Prozeß. »Sie bekommen sechs Jahre Gefängnis, und glauben Sie mir, nie mehr werden Sie das sein, was Sie mal waren!«

Plötzlich wurde er ganz still, sah mich an, als wollte er mich durchbohren und sprach dann so leise, daß ich mich anstrengen mußte, um ihn zu verstehen: »Erst ein halbes Jahr vor Ihnen hatten wir hier genau solch einen baptistischen Fanatiker. Wissen Sie, wo er jetzt ist? Vor einigen Tagen ist er in der psychatrischen Klinik als Vollidiot gestorben. Gefällt ihnen solch ein Tod?«

Ich werde diese Sätze sicher niemals in meinem Leben vergessen. Sie waren unheimlich. So direkt wurde ich bisher noch nie bedroht.

Es vergingen Tage und Monate nach diesem Gespräch. Scheinbar wurde ich zunächst in Ruhe gelassen.

Durch eine wunderbare Führung Gottes kam ich aus der Einsatztruppe heraus, und ich wurde als Schweißer angestellt. Sehr gut vertraut mit dem korrupten sowjetischen System habe ich mir sehr bald durch meine Arbeit eine Reihe Freunde unter den Offizieren und Soldaten gemacht. Ich reparierte den Offizieren ihre Privatautos, schweißte ihnen öfter des Nachts alle möglichen privaten Sachen, und so änderten sie ihr Verhältnis zu mir. Der politische Kommissar bekam immer weniger Informationen über mich, denn die Offiziere schwiegen oder gaben falsche Informationen weiter.

Dann versuchten die Macher der sogenannten »Geheimen Abteilung« in unserer Kompanie einen Spitzel in die Technische Brigade zu schleusen. Sehr bald aber wurde er von den Soldaten entdeckt, und er wurde ausdrücklich gewarnt. Ich weiß nicht, was dieser Spitzel den Kommissaren berichtet hat, aber ich hatte im Laufe des letzten Jahres sehr wenig Schwierigkeiten.

Durch diese besondere Beziehung zu den Offizieren bekam ich oft eine Möglichkeit, auf eigenes Risiko in die Stadt zu gehen. Ich mußte mich zwar jedesmal verkleiden, aber es ging eine lange Zeit gut. In dieser Zeit besuchte ich öfter die Evangeliumschristen in Kuibischew.

Die Arbeit dort – besonders die Jugendarbeit – war erst im Aufbau, und ich durfte da fleißig mitarbeiten.

Doch die Wolken zogen sich immer mehr zusammen. Das erste Zeichen einer Katastrophe bekam ich, als ich eines Abends aus der Stadt zurückkam. Ich hatte mit den Brüdern aus Kuibischew gerade einige Dörfer an der Wolga besucht und hatte die Geschwister ermutigt, sich als Jugend in einer Arbeitsgemeinschaft zusammenzuschließen.

Ich hatte einige Erfahrungen aus dem Baltikum, wo solch eine Jugendvereinigung bestand und aktiv im Einsatz war, und die Brüder baten mich, deswegen mitzugehen. Vier Tage war ich ohne Erlaubnis aus der Kompanie weg, meine Freunde verschwiegen meine Abwesenheit. Sie wußten sicher nicht, was ich tat, aber sie hielten zu mir.

Es geschah einige Male, daß ich für mehrere Tage verschwunden war, ohne daß es bemerkt wurde. Im Jahr

1975 flog ich sogar nach Moskau, um eine mir sehr liebe Familie nach Deutschland zu begleiten. An diesem Abend traf ich einen meiner Freunde in einem kleinen Bau, wo wir uns immer unauffällig umkleideten. Wir waren am Morgen zusammen aus der Kaserne gegangen und auch ein Stück gemeinsam mit der S-Bahn gefahren. Ich stieg vor ihm aus. Er erzählte mir später, daß, nachdem ich aus der Bahn gestiegen sei, ein ihm unbekannter Mann auf ihn zugekommen sei und ihn gefragt habe, ob er mich kenne. Mein Freund bejahte und sagte ihm, daß wir in einer Kompanie zusammen dienten. Danach sagte ihm der Fremde, daß ich ein sehr gefährlicher Staatsfeind sei und meinen Verbrechen bald ein Ende gemacht würde.

Ich achtete damals kaum darauf. Mein technischer Kommandant ließ mich nun schon zum zweitenmal in Urlaub zu meinen Eltern fahren, ohne die Erlaubnis der politischen Abteilung beantragt zu haben. Ich hatte schon Wochen vorher den Eindruck, daß bald etwas Wichtiges geschehen würde.

Und es geschah am 15. Oktober 1975

## Du wirst nicht sterben, sondern leben!

An diesem Tag war wie immer reger Betrieb in unserer Werkstatt. Wir waren gerade mit der Instandsetzung der technischen Geräte für die großen Herbstmanöver fertig. Der letzte Panzer räumte den Vorhof unserer Werkstatt. Wir waren dabei, unsere Werkzeuge einzuräumen, als einer der Köche angelaufen kam und einen Schweißer forderte, weil in der Küche irgendwo die Wasserleitung kaputt sei. Ich ahnte nicht, welch eine Fürsorge Gottes es war, daß dieser Defekt an diesem Morgen passierte. Ich schickte meinen Gehilfen mit dem Schweißgerät in die Küche. Kurze Zeit später erschien in meiner Werkstatt ein Offizier, dem ich direkt unterstand, und gab mir den Befehl, ein großes Eisenfaß zu zerschneiden. Er meinte den Behälter kontrolliert zu haben, und drängte mich, die Arbeit sofort zu machen. Irgendwie wollte ich nicht. Ich sagte ihm, daß der Gasbrenner nicht da sei. Daraufhin befahl er enttäuscht und aufgeregt, die Arbeit mit dem Elektrogerät durchzuführen.

Ich vertraute diesem Offizier. In den Monaten unserer Zusammenarbeit hatte es nie Pannen oder Konflikte unter uns gegeben. Und ich ging an die Arbeit.

Als ich dann das erste Stück aufgeschweißt hatte, explodierte der Behälter. Ich kann mich nicht mehr genau an die weiteren Ereignisse erinnern. Die Soldaten erzählten mir später, daß ich 10–15 m weit weggeschleudert wurde. Ich kann mich bloß noch an den Moment erinnern: als ich nach dem Aufprall kurz zu mir kam, betete ich: »Herr, vergib mir – nimm mich zu Dir!«

Man brachte mich in das Lazarett, und die Ärzte wollten mich dann weiter in das Krankenhaus bringen. Doch der Oberst verbot ausdrücklich die Überführung. Der verantwortliche Arzt jedoch, ein Jude, zu dem ich immer ein gutes Verhältnis hatte, fuhr mich dann auf eigene Verantwortung in das Krankenhaus. Dort wurde ich sofort operiert. Das Gesicht und die linke Hand waren zerstört, und die Wirbelsäule war stark ausgerenkt. Einen Monat lang lag ich bewußtlos dort. Niemand von meinen Verwandten wurde informiert. In der gesamten Zeit bekam ich keinen einzigen Besuch von der Kompanie. Nur einmal kamen einige Soldaten, aber auch ihnen wurde der Besuch verwehrt. Vier Monate lang befand ich mich in diesem Hospital. Aber auch hier, wie ich es später festgestellt habe, hatten die Ärzte anscheinend den Befehl bekommen, den Baptisten nicht unbedingt gesund zu entlassen. Doch wir haben einen wunderbaren Herrn: ich wurde in die Hände eines jungen Arztes gegeben, der offensichtlich auf keine der Verordnungen achtete. Abends, wenn die Ärzte ihren Dienst beendet hatten, ging er mit mir in die Ambulanz und schloß dann hinter sich zu. Dann öffnete er mit einem selbstgemachten Dietrich die Schranktür, wischte die eher schädliche als heilende Salbe von meinem Gesicht und Körper und legte neue auf. Das tat er sehr oft. Manchmal dachte ich, daß dieser Mann gläubig sei.

Nachdem ich dann aus dem Krankenhaus entlassen worden war, wurde ich auch als Invalide aus der sowjetischen Armee entlassen. Die Behörde war noch gut zu mir: Ich bekam eine Rente von dreißig Rubel pro Monat. Für viele hier im Westen sind dreißig Rubel kein Begriff. Ein Paar gute Schuhe kosten vergleichsweise 60–75 Rubel. Sicher konnte ich mit dieser Rente nicht existieren. Und wieder ging ich zu Gott und bat ihn, mir zu helfen. Die Hilfe kam.

## Gott wirkt still, aber mächtig

Nach meiner Entlassung aus dem Militärkrankenhaus machte ich mir immer häufiger darüber Gedanken, ob der Herr nicht auch für mich ein wenig mehr Gesundheit habe.

Wie groß ist doch unser Herr, daß Er für jeden, der versucht nach Seinem Willen zu leben, Hilfe und Segen bereithält.

Ich besuchte dann bald einen mir vertrauten Bruder in

Leningrad, um mit ihm über meinen Gesundheitszustand zu sprechen. Auf diesem Weg machte der Herr mir klar, daß noch vieles in meinem Leben unbereinigt und ungeordnet war. Ich bat diesen Bruder, mir bei der Aufdekkung der Flecken in meinem Leben beizustehen. So gab es bei diesem Bruder zunächst kein Gespräch über meinen körperlichen Zustand, sondern ein Buß- und Beichtgespräch. Wie wunderbar war dann die Erfahrung der Reinigung. Der Bruder bat auch den Herrn, mir Gesundheit zu schenken. Doch im Laufe des Gebets wurde uns beiden klar, daß der Herr hier Seinen eigenen Weg gehen würde. Ich wußte: Er wird handeln! Seit dieser Begegnung mit dem lieben Bruder in Leningrad sind einige Jahre vergangen, und vieles hat sich ändern dürfen, nicht nur in bezug auf meine Gesundheit.

Mein fast blindes Auge ist wieder sehend geworden, und zwar so unauffällig, daß ich es zunächst überhaupt nicht bemerkt habe. Als ich eines Tages, schon hier in Deutschland, mit dem Auto durch eine Stadt fuhr, kniff ich aus irgendeinem Anlaß das gesunde Auge zu. Wie überrascht war ich, als ich trotzdem die Ampel, die Straße, die Menschen um mich herum deutlich sehen konnte. Gott hatte ein Wunder getan, zu einem Zeitpunkt, wo die Ärzte jede Hoffnung aufgegeben hatten. Dieses Wunder wirkte Gott ganz in der Stille.

Heute wird so viel von Wundern und Zeichen gesprochen. Oft habe ich den Eindruck, daß man damit nur eine gewisse Sensation herausstellen möchte.

Im Rahmen dieses Zeugnisses möchte ich nur einem die Ehre geben: dem der der Inhalt aller meiner Erfahrungen ist, Jesus, dem Mann von Nazareth. Er hat mir meine Schuld vergeben und mir neues Leben geschenkt. Er hat auch die Prophezeiung der Ärzte zunichte gemacht, die mir sagten, daß ich in ein paar Jahren zu nichts mehr zu gebrauchen sei. Seine Gnade hält mich auch heute noch in der aktiven Mitarbeit in Seinem Reich.

Ihm sei Lob und Dank dafür!

# Nachwort

Viele Menschen scheinen sich damit abgefunden zu haben, daß ihr Leben rein zufällig, ohne Ziel und Sinn ist.

»Zur Freiheit verflucht« und »zum Dasein verurteilt«, wissen sie mit ihrem Leben nichts mehr anzufangen und sehen mit dem Mut der Verzweiflung dem Tod entgegen, »der Endstation im Räderwerk der Menschheitsgeschichte« (Satre).

Andere, vor allem jüngere Menschen, greifen zur Droge, um der sinnlosen Wirklichkeit zu entfliehen, oder versuchen mit Hilfe von Meditation, Yoga usw. andere Bewußtseinsstufen zu erreichen.

Jedoch der größte Teil unserer Mitmenschen verdrängt die Frage nach dem »Woher« und »Wohin«, um mit spießbürgerlicher Mittelmäßigkeit nach dem Motto zu leben: »Laßt uns essen und fröhlich sein, denn morgen sind wir tot.«

Ihnen allen und besonders denen, die aus irgendwelchen Gründen am Rande oder außerhalb der Gesellschaft leben und meinen, aufgrund ihrer Vergangenheit oder Lebensumstände keine Hoffnung mehr haben zu können, möchten wir zurufen: Wir haben die Antwort gefunden!

Jesus Christus, der am Kreuz für unsere Schuld gestorbene, aber auferstandene Sohn Gottes ist in unser Leben getreten. Die Umkehr zu Ihm, der von Sich sagt, daß Er »der Weg, die Wahrheit und das Leben« ist (Joh. 14, 6), hat unser Leben verändert und uns ein neues Lebensziel und einen neuen Lebensinhalt gegeben.

Diese Erfahrung drängt uns, Sie herzlich zu bitten: Lesen Sie die Bibel, besonders das Neue Testament, um Gottes Vermächtnis, Seine Gedanken über Herkunft und Zukunft des Menschen, über Sünde und Vergebung kennenzulernen.

Fangen Sie bitte an, im Gebet mit Gott zu reden. Er, der gesagt hat: »Kommet her zu Mir alle, ihr Mühseligen und Beladenen, und Ich werde euch Ruhe geben« (Matth. 11, 28), wartet auf Sie!

Wenn Sie weitere Fragen haben oder seelsorgerliche Hilfe brauchen, dann suchen Sie bitte Christen auf, die Jesus Christus als ihren Herrn kennen und lieben.

Gerne können Sie auch uns aufsuchen oder anschreiben. Wir haben dieses Buch mit dem Wunsch und Gebet zusammengestellt, um auf Jesus Christus aufmerksam zu machen. Deshalb freuen wir uns, wenn wir weitere Hilfe geben können.

W.B.

**Kontaktadresse:**

Wolfgang Bühne, Schoppen 1, 5882 Meinerzhagen 2

*Vor allem aber vergiß nicht:*
*Man lebt nur einmal;*
*es gibt Verluste,*
*die ewig unwiederbringlich sind,*
*so daß die Ewigkeit – noch grauen-voller! –*
*weit davon, die Erinnerung an das Verlorene auszulöschen,*
*ein ewiges Erinnern an das Verlorene ist!*

*(Sören Kierkegaard)*

Die Lebensgeschichte Wolfgang Dycks:

Dyck/Bühne: **Vom Knast zur Kanzel**

TELOS-Taschenbuch 176, 93 S., DM 4.80

Wolfgang Dyck, als uneheliches Kind in Berlin geboren, in Heimen und Erziehungshäusern aufgewachsen, wurde schon als Jugendlicher wiederholt straffällig und verbrachte etwa elf Jahre seines Lebens hinter Gefängnis- und Zuchthausmauern.

Durch den Kontakt zur Heilsarmee erlebte Dyck 1959 in Stuttgart seine Umkehr zu Jesus Christus, die sein Leben total veränderte. Aus dem ehemaligen Schwerverbrecher wurde nun ein leidenschaftlicher Rufer zu Jesus Christus. In Kneipen und Nachtlokalen, in Zuchthäusern und auf der Straße verkündigte er mit rastlosem Einsatz die Botschaft vom Kreuz.

Seine kompromißlose, herausfordernde Predigt wirbelte viel Staub auf. Wo er erschien, gab es Schlagzeilen in den Zeitungen und Rumor unter den Christen.

Die Beurteilungsskala der Presse reichte von »Harmloser Narr«, »Schreihals Gottes« bis »Phänomen Dyck«.

Seine ungewöhnliche Lebensgeschichte ist ein Beweis dafür, daß es bei Gott keine unmöglichen Fälle gibt.